KB096618

아이를 갖게 된 나의 여자친구들에게

아이를 갖게 된 나의 여자친구들에게

발 행 | 2024년 3월 18일
저 자 | 이혜인
펴낸이 | 한건희
펴낸곳 | 주식회사 부크크
출판사등록 | 2014.07.15(제2014-16호)
주 소 | 서울특별시 금천구 가산디지털1로 119 SK트윈타워 A동 305호
전 화 | 1670-8316
이메일 | info@bookk.co.kr
저자 이메일 | hi20925@hanmail.net

ISBN | 979-11-410-7684-9

www.bookk.co.kr
http://m.blog.naver.com/hi20925

아이를 갖게 된
나의 여자친구들에게

이혜인

목 차

들어가는 글

안녕? 애들아. 항상 학생들을 위한 글을 쓰다가 오늘은 내 여자친구들을 위해 컴퓨터 앞에 왔어. 내 아이를 갖는다는 것. 정말 대단한 일이야. 인생의 구역이 나뉘어 있다면 그 구역이 변경되는 일이라고 생각해. '아이가 있고, 없고'가 하늘과 땅 차이라는 어느 선배의 말을 전에는 그냥 흘렸거든. 근데 그게 정말 사실일 줄이야.

100 가지 육아에는 100 가지 방법이 있어. 그 말은 즉, 육아는 정답이 없고 그냥 방향성만 있다는 거야. 그러니까 내가 알려주는 나의 육아법은 당연히 정답이 아니라는 거지.

지나간 시간을 돌이켜 봤을 때 내가 휘담이를 키워 나가며 가장 도움이 됐던 것들을 꼽아보라고 하면, 생생하게 살아있는 엄마들의 말과 근거 있는 육아서적이었어. 내가 책과 말로 여러 도움을 받았 듯 나도 나와 같은 곤란을 겪을 내 친구들에게 도움이 되겠다는 그 스치는 자신감으로 펜을 잡았어.

다시 말해, 이 책은 육아전문서적이 아닌, 휘담이 한 사람을 임신부터 출산 후 30 개월까지 키워내면서 겪은 일을 수다스럽게 담은 수필이야. 담이를 육아하며 쓴 물건들부터 내가 어떤 전문서적들과 영상자료를 참고하며 키웠는지 적어 놓았고 곳곳에 육아를 하면서 고군분투했던 흔적들을 담았어. 너무 무겁게 생각하지 말고 가볍게, 그러나 나의 보고 듣고 직접 터득한 육아 노하우와 경험들이 너희들의 육아에 큰 도움이 되기를 바라.

제 1 장. 어떻게, 왜 임신하게 되었나

다들 오래 전부터 결혼과 아기에 대해 구체적인 생각들을 하고 있었어? 나는 아니야. 미래에 대한 특별한 생각 없이 그저 살아왔어. 결혼을 결심한 건 웃기게도 사랑하는 사람과 함께 있을 때 드는 비용(시간이나 돈)을 줄여야겠다는 생각이 들어서였고, 특히 아기는 전혀 생각이 없었지. 다른 사람들은 보통 계획을 하고 생각을 한다는데, 내가 만약 계획하고 생각을 했다면 결과가 지금이랑 달랐을까?

내가 아기를 가져야겠다! 마음먹은 건 20 년 8 월이야. 휘담이가 태어나기 딱 1 년 전. 담이가 생긴 가장 큰 계기는 코로나인데, 2019 년 12 월에 남편과 결혼하고 시간 날 때마다 이곳저곳 여행을 다니자 계획했는데 딱 한 달 뒤인 20 년 1 월에 코로나로 전 세계가 아팠어. 정말 아무 곳도 못 가고 발이 묶여 있으니까 그때 든 생각이 '일상이 심심한데 아기나 낳을까?'였어. 무지했지.

그때 까지만 해도 나는 '임신, 출산'이 무섭지 '육아'가 더 큰 일이라는 건 몰랐어. '심심'이란 단어를 대체할 일들이 아니라는 사실을 알 길이 없었지. 어린 아기를 기르고 있는 사람은 물론, 결혼한 친구들도 주변에 많이 없었거든.

나는 사실 임신을 마음먹은 때부터 피임을 하지 않으면 무조건 아기가 생기는 줄 알았어. 생리 전 배가 욱신욱신한 걸 아기가 생긴 거라고 생각하고 배를 쓰다듬으며 걸었지. 그렇게 8 월, 9 월, 10 월이 지나고 11 월 초에 임신이 한 번 됐어. 임신 테스트기에 아주 흐린 두 줄을 보고 다음 날 학교에 가서 친한 부장님과 동료들에게 설레발로 얼마나 자랑을 했는지. 그 날 오후 산부인과에 가서 피검사로 아기가 왔다는 소식을 듣고(너무 일찍 가면 초음파가 안 보여서 피검사를 함.) 그 다음 날 나는 수업 중 많은 양의 하혈을 했어. 그때 온 아기는 내 자궁에 자리를 못 잡고 떠나가 버렸어. 자연스럽게 유산하는 걸 '화학적 유산'이라고 부르던데, 의학적 용어는 아닌데 통상적인 표현이라고 해.

#화유증상

사람마다 다르겠지만, 나에게 온 '화유'는 큰 증상은 없었지만 생리통이 보통 때보다 심하게 오고, 나오는 혈액의 양은 일반 생리 양에 비해 3 배 정도 많았어. 몸이 힘들기보다 기대가 컸던 탓일까 머리로는 받아들이는데 온몸으로 울었지. 태어나서 그렇게 울어본 일이 손에 꼽을 정도로.

그리고 산부인과 의사는 내게 곧바로 임신 준비를 하지 말고 몇 달 기다리라고 했어. 습관성 유산이라고 유산이 몸에서 습관화가 될 수 있다는 우려 때문이었지. 세상에, 습관성 유산이라니 말만 들어도 무서웠어. 근데 나는 왠지 기다리고 싶지가 않았어. 이건 그냥 엄마의 느낌이랄까. 지금 왠지 아기가 생길 것 같은 느낌이 들었지. 의사의 말을 뒤로 하고 다시 시도를 했고 그때 생긴 아기가 바로 지금 내 곁에 있는 휘담이야.

그래서 의사의 말을 어기고 임신을 시도한 것을 권유하느냐? 당연히 아니야. 유산을 하게 되면 의사의 권고대로 쉬는 게 좋아. 그런데 나는 아주 임신 극 초기인 3-4 주에 화유가 진행됐었고, 하혈 후 바로 다음 날부터 인가 배란일의 증상들(점액이 분비되고 체온이 높아짐.)이 평소보다 심하게 느껴졌어. 그래서 나는 본능적으로 '이 때 시도하면 임신이 무조건 되지 않을까?' 느꼈고 그래서 시도했었어. 내가 겪었던, 나와 같은 상황에 처해 있다면 너의 상황, 그리고 의사의 권고를 종합해서 결정하길 바라. 무슨 결정이든 틀렸다고 말 할 수 없지. 모두 아기를 위한 결정일 테니.

#임신_전_이것만_한다면

임신 준비를 할 때 반드시 이것만은 꼭 해줘! 하는 것들이 있어.

1. 부부 모두 엽산 먹기 2. 비타민D 챙겨 먹기 3. 술, 담배 금지

엽산과 비타민 D 를 먹어야 하는 이유

엽산은 태아의 신경관결손을 예방해주는 역할을 해. 쉽게 말하면 아기의 기형을 막아주는 역할을 하지. 엽산은 임신을 한 후에도 적어도 16 주까지는 복용을 해야 하는 영양제야. 비타민 D 도 같은 의미로 태아의 조직, 골격, 내장의 발달에 중요한 역할을 하고 칼슘의 흡수를 도와주기 때문에 아주 필수적인 영양제라고 할 수 있고, 비타민 D 는 체내에 부족하지 않게 일정한 양을 꾸준히 먹어주는 게 좋아.

남편의 정자가 튼튼한 것 역시 중요하니까 임신 전 예비아빠도 술과 담배를 멀리하고 엽산을 3 개월 이상 복용하라고 말해주고 싶어.

막상 피임을 안 했는데도 임신이 되지 않으면 답답하고 걱정이 될 거야. 원래 정상적인 상태에서도 임신은 되기 어렵고(가임기 임신 확률: 20-30%) 까다롭다는 것이 사실인 걸. 내가 공부한 바로, 임신이 잘 되려면 배란일 직전에 정자가 미리 난자 근처에 들어와 있어야 한다고 해. 그러니까 배란일을 기준으로 2 일 전에

관계를 갖고 배란일에 갖고, 그 이후에 또 가지면 임신이 될 확률이 높지(이러한 시도를 맘카페에서는 '222'라고 불러, 날마다 시도하는 건 '111'). 그리고 포도주스! 배란일에 포도주스를 먹으면 임신 확률을 높인다는데 이건 의학적인 근거는 전혀 없지만 나는 먹었어. 맛있으니까 임신 준비할 때 한 잔 먹어봐.

또 몇 달을 시도해도 임신이 되지 않으면 혼자서 답답해하지 말고 병원에 가서 배란일도 받아보고 인공수정이나 시험관도 도전해 보길 추천해. 고민은 아기를 만날 시기만 늦출 뿐.

#아기천사가_잘_찾아오지_않는다면

혹시나, 몇 년 준비했는데도 아기가 전혀 생기지 않는다고 해서 너무 슬퍼하지는 말자 친구야. 사람의 일은 하늘의 일이라고 하잖아. 너의 탓이 절대 아니야. 그저 주어진 삶을 즐겁고 행복하게 살기 바라. 나는 아기가 없는 삶도 정말 만족스러운 삶이라고 생각해. 휘담이가 없었어도 나는 잘 살았을 거야. 아기가 있어야 잘 살고 행복한 건 절대 아니니까.

제2장. 입덧에 대해

임신을 하게 되었어? 정말 너무 축하해.

이제 한 6 주부터 길게는 20 주 정도까지 입덧이 있을 거야. 운이 좋다면 물론 없을 수도 있지.

#내가_겪은_입덧_느낌
임신 전 나는 정말 궁금했어. 입덧은 어떤 느낌일까, 난 드라마에서 나오는 인물이 임신 후 입덧을 할 때를 떠올리며, 음식 앞에서 '우엑' 하는 게 입덧이라고 가볍게 생각했지. 그런데 나에게 찾아온 입덧의 느낌을 구체적으로 말하면, 어떤 음식을 먹어도 음식 맛이 상한 것처럼 느껴지고, 모든 음식물에서 음식물쓰레기 냄새가 난다고 하면 가장 가깝다고 말 할 수 있겠어. 먹은 게 없는데도 속은 계속 체하고 멀미하는 느낌에 먹고 싶은 마음도 사라지고 기력도 없지. 아무것도 먹지 못하는 현실에 짜증이 나서 엉엉 운 날도 있었어.

사람마다 입덧이 없는 사람도 있어. 그리고 아주 약하게 지나가는 사람도 있지. 임신 당시 주위를 둘러보니 나는 평범한 수준이던데, 그래도 누가 내 입덧이 가볍다고 말한다면 나는 너무 서운할 거야(난 정말 그 순간 사는 게 지옥일 정도로 힘들었거든).

#입덧_하는_이유
임신 초기, 내가 입덧이 너무 힘들어 의사 선생님께 왜 입덧을 하냐고 물어보니, 선생님 포함 학자들도 그 이유를 정확히 밝히지는 못했대. 그래서 내가 여기저기 손을 놀려 인터넷에 검색을 해서 찾아본 결과, 잡다하게 논문들이 나왔어. 신뢰성이 있는지 없는지 당연히 모르지만 그 중 가장 그럴 듯하고 와 닿았던 이유가 태아를 보호하려고 입덧을 한다는 거야.

엄마에게 평소와 다른 몸 상태를 제공해서 임신 사실을 알리는 역할을 하는 거지. 또 입덧을 하면 아무 음식이나 못 먹거든? 나 같은 경우는 아주 소량의 과일 말고는 한 달여 동안 거의 먹은 게 없어서 오히려 몸무게가 빠졌어. 그래서 태아에게 독이 되는 음식들(술과 기름진 음식)을 자연스럽게 멀리하게 만들지. 입덧에는 그 종류에 따라 무엇이라도 먹어야지 속이 편해지는 먹덧, 특정 음식(과일이나 고기)만 먹을 수 있는 보통의 입덧, 아무것도 먹지 못하는 심한 입덧으로 나눌 수 있어. 그리고 입덧을 정말 심하게 하는 사람 중에서는 임신 기간 내내 입덧을 하는 사람도 있대, 우리 시어머니 이야기야. (보통 14주 전에 소멸!)

#입덧_약 #망설이지_마

입덧도 질병으로 분류가 돼, 그러니까 병 인거지. 입덧을 완화해주는 약이 있어. 디클렉틴, 디너지아, 디크라민, 프리렉탄 등 여러 가지 이름으로 나와 있는 입덧약은 사실 동일한 성분으로 모두 똑같아. 피리독신(비타민 b6)과 독실아민(1세대 항히스타민)으로 이뤄진 복합제인데 임산부와 태아에게는 당연히 안정성이 입증된 약이야.

입덧약은 담이 임신하고 7-8주 정도 됐을까, 내가 음식을 아무것도 못 먹으니까 담당 선생님께서 처방해 주셨고, 처음 처방받았을 때는 그냥 먹지 않고 버텼어. 당연히 안전한 걸 알지만, 아기에게 혹시나 안 좋을까 싶은 마음에서였어. 그런데 결국 먹었어. 입덧으로 받는 스트레스가 너무 커서 이게 더 해롭겠다 싶어 내린 결정이었어. 하루 최대 4 알까지 복용 가능하고 이 약을 처음 먹으면 정말 졸리거든? 적응이 되면 괜찮기도 한데 항히스타민 성분이 원래 좀 졸려. 그래서 복용은 보통 잠들기 전이야. 혹시 복용하게 된다면 자세한 처방과 복용법은 약을 처방 받을 때 의사와 약사가 알려줄 거야.

나는 8 주부터 입덧이 사라졌던 12-13 주까지 약을 쭉 먹었어. 지금 생각해도 약을 먹은 걸 잘했다고 생각해. 약 덕분에 그 힘들었던 시기를 무사히 잘 넘겼거든. 그래서 나는 네가 입덧을 하게 되면 그냥 참지 말고 약을 복용하는 걸 추천해.

물론! 휘담이는 아주 건강하게 태어났지.

제 3 장. 임신 후기의 몸 상태

사람마다 임신도 증상이 다양한데, 내 경우를 말해 줄게. 나는 몸의 변화에 아주 예민한 편이야. 작고 작은 변화도 눈치를 잘 채는 편이지. 이건 고통을 잘 견디는 성향과는 또 달라. 나는 고통은 잘 참는데 일단 내 몸이 변화하는 양상에 대해서는 굉장히 파악이 빠르거든.

사람마다 자기 몸에 나타나는 변화를 느끼는 정도는 모두 다르겠지. 그러니까 내가 느꼈던 임신 증상들은 '내가 예민해서 이렇게 더 잘 느꼈던 것일 수 있겠구나.' 라고 생각해.

다시 말해 너는, 보다 더 순하고 부드럽게, 응? 별거 아닌데 하면서 지나갈 수 있을 거야.

#다양한_변화 #걱정하지_마

나는 마른 임산부였어. 임신에 필요한 최소한의 무게만 쪄서 임신 말기 최종적으로 12kg 정도 몸이 불었고, 몸이 무거워지면서 팔과 다리, 손가락, 발가락 마디마디가 엄청 부었어. 신발 사이즈는 240mm을 신는데 그동안 신었던 신발 중에는 맞는 신발이 없어서 265mm 사이즈의 남편 신발을 신고 다녔고, 널찍한 원피스를 입어야 했지. 결혼반지가 맞지 않기도 했어. 남편 사이즈에 맞춰 놓은 반지까지도 맞지 않을 만큼 손가락이 퉁퉁 붓고 뼈 마디마디에 통증이 생겼어. 그리고 태아를 보호하려고 등과 허벅지에 살이 붙어서 눈에 변화가 보이는 게 참 신기했지.

아 또 하나, 양쪽 턱 아래에 커다란 혹이 잡혔어. 병원에 갔더니 지금의 상태에서는 뭘 해줄 수가 없대. 아기를 낳고 검사를 자세히 해보자는 말만 돌아왔어. 그 당시에는 정말 무서웠어. 만약에 정말 고치기 힘든 병이면 어떡하지, 걱정이 한 바가지였지.

또 감기에 걸렸을 때에는 약 처방이 어려워 가글로 버텼는데 약 없이도 감기가 나아서 그 사실이 너무 신기했어. 내 백혈구 칭찬해. 그 후에 나는 지금도 감기에 걸리면 그냥 병원에 가서 약을 받아먹기 보다는 가글을 열심히 해줘. 그러면 어느새 나아 있더라.

#가장_힘들었던_것

다른 것들은 그냥 넘기겠는데 막 달이 되니 소변이 대박이었어. 방광이 기능을 상실했지. 물은 먹은 즉시 방광에 신호를 보내주었고 밤에는 화장실을 가려고 몇 번을 깨야 했어. 주변 엄마들에게 물어보니 이런 임신 후 증상들을 대부분 비슷하게 겪었다고 해.

#특이케이스

특이하게? 일반적이지 않은 증상들 두 가지가 있는데, 하나는 사람 많은 곳(지하철, 쇼핑몰)에서 기절하는 증상, 다른 하나는 29 주 정도부터 배가 너무 당기는 증상이 있었어. 기절하는 증상에 대해서는 당시 담당 의사 선생님이 그런 사람들이 종종 있다고 했고 원인도 딱히 없고 그냥 아기 낳으면 나을 거라고 사람 많은 곳에 혼자 가지 말라고 하셨지. 배가 당기는 증상은, 조기 진통이었고 그 탓에 나는 30 주부터 34 주까지 입원을 무려 4 주간 했어. '라보파'라고 조기 출산을 막아주는 약을 계속 맞으며

눈물로 임신 막 달을 보냈어. 이게 나의 임신 스토리 중 가장 빅 이벤트였어.

#그래서_지금은?

지금은 그때 부었던 붓기는 모두 빠지고, 턱에 잡히던 혹도 전부 사라졌어. 다 사라질 걸 알았다면 그때 걱정을 전혀 안 했을 건데, 억울하긴 하지만 혹시 너에게도 이렇게 변화가 생긴다면 너무 걱정하지 말라고 적어보았어. 다 사라질 거야. 나는 근데 방광이 다쳤는지 좀 아파서 아직 병원에 다녀. 임신.. 정말 쉽지 않지? 내가 글로 적으며 다시 되돌아봐도 쉬운 일은 절대 아닌 거 같아.

그런데 또 사람이 살아가는 기본 값 자체가 쉬운 일은 아니니까. 인생 전체에서 바라본다면 내 가족 한 명을 만나는데 또 그렇게 못할 만큼의 일도 아닌 것 같아. 또 다행인 건 출산은 생각보다 수월? 했어. 모유수유는 많이 아팠지만.

제 4 장. 출산이야기

이 글은 내가 아기를 낳고 일주일 뒤에 블로그에 올렸던 글이야. 아주 생생한 경험담에 크게 수정하지 않고 거의 그대로 긁어왔어.

『출산 전날 새벽.. 38 주 1 일이다. (출산예정일 2 주 전) 시간도 기억난다. 새벽 1 시였다. 갑자기 배가 억 소리 나게 아파왔다. 옆에서 먼저 잠든 오빠를 깨워 배가 아프다고 했다. 그런데 조금 있다가 통증이 멈췄다. 그러다 갑자기 화장실이 가고 싶어 가보니 피가 보였다. 이슬이었다. 그 전에 이슬이라고 의심했던 것들은 정말 의심으로 그칠 정도로 엄청 확신에 찬 이슬. (이슬은 콧물처럼 진득하고 진갈색 피가 섞여 있는 핏덩어리라던데! 정말 그렇게 나왔다.)

그리고 가진통처럼 배가 슬슬 아파왔고, 새벽 내내 한숨도 못 자고 출산가방을 재정비하고 해가 뜨는 것을 보았다. 그 후 새벽 6시쯤 다시 잠에 들어 아침 9시에 일어났는데 오잉, 걱정과 달리 말끔하게 사라진 통증. 그리고 그 날이 산부인과 정기검진일이었다. 아직은 아닌가 보다 하고 병원 갈 준비를 했다. 그러다 외출 직전 간 화장실에서 다시 확인한 이슬(이슬은 한 번만 나오는 것이 아니다, 생리처럼 자주 나옴!). 이번에는 더 많은 양의 이슬이 몸에서 나왔고 나는 2-3 일 안에 아가를 만나겠다고 확신했다. 그러는 와중에 어라? 근데 그 전 분비물과 다른 물 같은 것이 속옷에 묻어 있었다. 이거 양수 아니겠지? 양수에서는 락스 냄새가 난다고 하던데, 거의 향이 없었지만 살짝 락스 냄새가 났었다.

*만약에 양수면 아가 있는 공간이 오염될 수 있기 때문에 바로 병원에 가서 항생제를 먹고 아기를 바로 나오게 하는 유도분만을 해야 한다.

병원도착. 담당 선생님과 인사하고 그동안 이슬 본 거며, 양수 같이 그냥 물이 아주 조금 나왔다고 검사해달라고 말씀드렸다. 선생님 첫마디가 양수 아닐 거라고, 아직 38주고 첫 출산이라 진행이 늦어 40주 넘어서 아기가 나올 가능성이 많다고 했다. 그래도 혹시 모르니 살펴 주신다고 이것저것 진행한 검사! 결과는??

자궁 문이 살짝 열어져 있었다. 또 양수 키트로(코로나 키트처럼 생김.) 양수 검사도 진행했는데, 선생님이 아닐 거라고 했던 양수도 맞았다! 후덜덜.. 그 순간 너무 두려웠다. 선생님 말씀, 양수가 살짝만 새어 나와도 안 된다고 했다. 그러시더니, 웃으시며 내일 낳겠네, 출산준비 해왔냐고 물어보셔서, 혹시 몰라 트렁크에 출산가방 바리바리 싸왔다고(한 일주일 전부터 외출할 때마다 챙겨 다님.) 말씀드렸다.

선생님이 유도분만은 힘들다고(길게는 2-3일 진통하기도 한다며) 나가서 밥 먹고 오라고 하셨다. (원장님은 내가 그 전에 조기진통으로 입원을 오래해서 병원 밥을 엄청 싫어하는 걸 알고 계셨다.) 이런 외출도 자궁 문이 1cm도 열리지 않아 가능했던 일! 그래서 병원 앞에 샤브샤브 집에 가서 남편이랑 덜덜 떨며(사실 나보다 남편이 더 떨었음.) 밥을 먹고 왔다. 나는 마음의 준비를 집에서부터 하고 와서 금방 담담해졌는데, 오빠는 쉽게 진정되지 못하고 정말 긴장하는 게 보였다. 휘담이와의 첫 만남이 떨렸나 보다.

다시 병원도착. 코로나 검사 받고, 병실 배정받고 분만실로 내려갔다.(원래 그냥 분만은 입원 없이 바로 분만실로 향하는데, 나는 유도제를 맞고 분만을 진행할 것이어서 입원실에 들렀다가 옷 갈아입고 분만실로 감.)

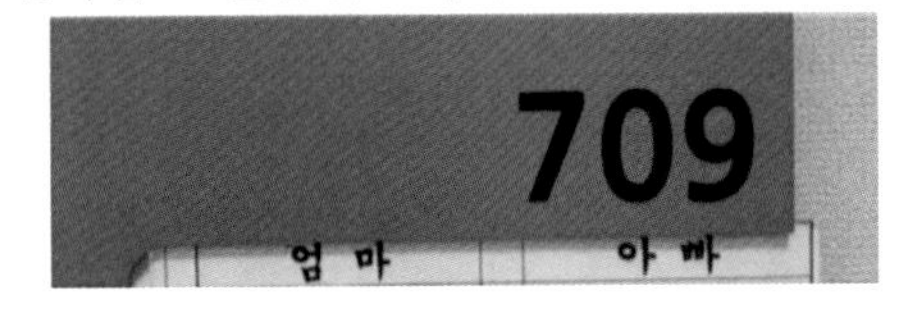

병실 번호 709. 이때만 해도 내 병실 앞에 붙어 있는 '엄마' 라는 말이 굉장히 어색했는데 지금은 내 이름보다 더 내 이름 같은 '엄마' 라는 단어.

내려간 분만실은 가족 분만실!

관장도 하고(관장 너무 아팠다. 관장을 하면서 살짝 진통을 한 느낌이었다. 모두가 이렇지는 않다고 한다. 아무튼 관장하면서 혼자서 화장실에서 엉엉 울었다.) 제모도 하고(제모도 살짝만 진행해서 제모 같지도 않았음), 내진*도 하고(온 몸에 긴장을 풀면 버틸 만하다!), 순식간에 진행! 뭐 굴욕이니 뭐니 그러던데 별로 그렇게 생각되지도 않았고 그냥 하나의 의료 행위였다. 특히! 브라질리언 왁싱을 미리 해갈까 고민했는데, 역시 안 하길 잘한 거 같다.(왁싱이 낯선 사람은 크게 안 해도 될 것 같아!)

*내진은 질에 손가락을 넣어 골반내부와 자궁문 등을 확인하는 의료행위

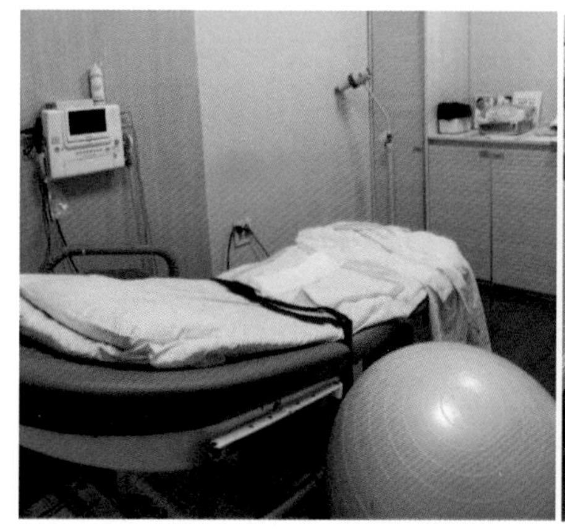

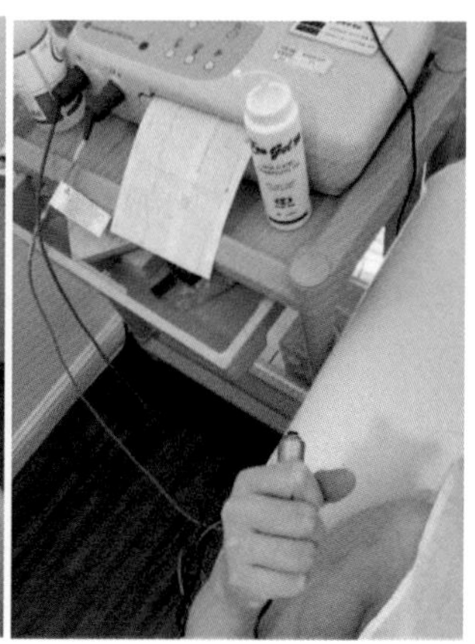

지금 봐도 무서운 분만실(왼쪽사진)

선생님이 우선 항생제만 쓰고(양수가 샜으니 아기집이 감염에 취약해져서 항생제를 쓰는 것) 유도분만은 그 다음날 새벽에 하자고 했다. 분만실에서 계속 수축 검사하고(오른쪽 사진, 수축은 내 배가 아기를 밀어내는 활동인데, 신호가 올 때마다 저 버튼을 누른다. 이 수축 간격이 짧게 그리고 주기적으로 올수록 아기 만날 시간과 가까워지는 것이고 유도분만제는 수축이 활발하게 도와줌.) 아기의 신호를 읽었는데, 누워있으니 오히려 진통도 없어지고 아무 소식도 없기에 그냥 그날 밤은 입원실로 다시 돌아갔다.

그거 아니? 관장 후에는 이제 아침햇살과 초콜릿만 먹을 수 있다. 그리고 이때 먹는 아침햇살은 정말 너무 맛있음. 지금 먹으면 그 맛이 안 난다.

밤 12 시, 선생님이 다시 분만실로 내려오라고 해서 내려갔다. 진통이 너무 안 와서 짐볼도 열심히 타고 수축 검사도 밤새 계속 했다.

그리고 이제부터 생생한 분만 후기
진통이 너무 안 와서 나는 분만실에 누워있고 오빠는 입원실로 보내 눈 좀 붙이라고 했다. 간호사 선생님들이 내일 아가 낳으려면 좀 자라고 해서 눈을 감긴 했는데 잠이 오겠냐고.

21 년 8 월 3 일, 에어컨 빵빵한 분만대 위에서 나는 혼자 떨며 밤을 지샜다. 어찌어찌 시간이 가서 다가온 새벽 5 시, 유도제 투여시작. 그래도 진통은 없고 내진결과 자궁 문 1cm 열림(10cm 가 다 열려야 아가가 나온다.)

한 시간 뒤 미리 신청한 무통주사(척추에 놓는 주사)를 놓기 위해 척추에 바늘을 꽂아주러 마취과 선생님 오심. 진통이 차라리 있었으면 주사가 아무 느낌 없었을 텐데, 어후.. 그 소름 끼치는 척추에 바늘 꽂히는 느낌.. 너무 싫고 척추 전체가 불편했다. 다행히? 나중에 이 불편함은 진통이 시작되고 모두 잊힘.

유도제 넣은 후부터 2 시간 반 정도 지났나? 오전 7:30 정도에 간호사 내진, 아직도 진행이 안 됐다며 "양막 터뜨려드릴까요?" 물어보셨다. "네???" 오빠랑 나랑 동시에 당황, 양막 그것이 사람의 손으로 터뜨릴 수 있는 것인가?

나는 터뜨릴 때 얼마나 아프냐고 물었고, 그냥 긴 내진일 뿐 하나도 안 아프다는 답변을 들었다.

간호사 선생님은 내가 고개를 끄덕임과 동시에 한 치의 망설임도 없이 손을 넣어 바로 양막을 터뜨려 주셨다. 내 몸 안의 노른자를 터뜨리는 그 느낌? 선생님 말대로 정말로 안 아팠고 양수가 터진 후 아래에서 따뜻한 물이 울컥 울컥 나왔다.

그 후, 바로 엄청나게 센, 드라마에서만 봤던 출산의 진통 시작. 와.. 무려 3 시간 동안 아주 강한 진통을 내리 했다.

쓰나미처럼 통증이 몰려왔다가 쓰나미가 물러나듯 순식간에 물러갔다. 통증이 왔을 때는 악을 지르지 않고는 버틸 수 없었다가 통증이 사라지자 기절하듯 잠을 잤다. 이런 반복은 2-3 분 간격으로 이뤄져 3 시간을 채워갔는데 내가 느끼기에 이 시간은 한 30 분 정도의 느낌이었다.

첨에 한 시간쯤 진통할 때 너무 아파서 제발 무통주사(척추 근처에 놓는 강력한 마취제) 놔주라고 하니 선생님이 아직 2.5cm 밖에 안 열렸다고, 기다리라고 하다가 진통주사(엉덩이주사)를 놔주셨는데 정신이 몽롱해질 뿐 감통에는 전혀 효과가 없었다. 절대! 엉덩이 주사 맞지 마!

*자궁문은 1-10cm 까지 열리고 이 열리는 정도가 곧 출산진행 상황이다. (아가 머리 크기가 보통 10cm 전후!) 진통 시 오는 통증이 힘을 주는 행동으로 이어져 아기를 내보내는데 무통을 맞으면 이를 못 느끼게 되고 때에 맞추어 힘을 주는 법을 익히지 못하면 적절한 때에 아기를 못 낳아 자연분만 실패확률이 높으므로 자궁문이 3-4cm 열렸을 때 무통을 놔준다. 그러니까 산모가 진

통의 느낌과 힘을 주는 방법을 어느 정도 느끼고 난 뒤에 무통을 맞아야 가장 효과적!

또 6cm 가 넘어가면 또 무통을 대게 안 놔주는데 이유는 이제 곧 아기가 나오는데 그때 무통이 진행되면 클라이맥스에 힘을 못 줄 경우가 생길 수 있게 때문!

자궁문 3-4cm 열릴 때 통증이랑 7-8cm 통증이 가장 강하고 아프다고 함. 또한 자궁 문이 열리면서 아기도 동시에 잘 내려와야 한다! 아무튼 여러 가지 박자들이 잘 맞아야 순산할 수 있다.

그래도 진통이 너무 너무 너무 너무 아프고 내가 이러다가 죽겠어서 살려달라고 사정하니 돌아오는 답변이.. 자궁 문이 4cm 로 열렸는데, 먼저 맞은 엉덩이 진통주사 때문에 무통 주사를 쓸 수가 없다고 하셨다. 젠장. 그래서 생 진통을 2 시간 더 하고 무통 주사를 맞았다. 무통주사 맞고 나서는 바로 감통..! 그리고 내진해보니 10cm 이미 열렸다. 이제 힘주고 낳으면 끝!
(그러니까 나 10cm 열릴 때까지 진통 다 겪었나봐. 어쩐지 너무 심하게 아프더라?)

#진통의_느낌
나도 정말 궁금했는데, 겪어보니 20 년 정도를 주기적으로 앓던 생리통과 비슷한 종류의 통증이었다. 칼에 베이고 뭔가 잘리고 그런 고통의 종류와 전혀 달랐던 통증. 웃긴 이야기지만, 남편이었으면 기절했겠지만 생리통에 내성이 생긴 나라서, 버텨낼 수 있는 통증이었다고 생각해. 1-2 분 간격으로 극한의 통증이 오면, 이 통증을 버텨내려고 오빠의 두 손을 꽉 잡고 심호흡하고, 허리를 눌러달라고 하고, 마지막으로 통증이 올 때 힘주기(신기하게 힘이 저절로 들어간다. 아니 그 보다 힘을 주어야지만 통증이 사라진다.) 등을 하며 3시간을 보냈다. 나에게 팔을 뜯기며 세 시간 동안 남편도 같이 고생했다. 이때 남편은 속으로, 평소에 내가 너무 잘못해서 이렇게 팔을 뜯기나 생각했다고 한다. 많이 아팠나 보다. 남편의 생각이 너무 웃겼다.

아무튼 이제부터 본격적으로 아기 밀어내는 힘주기 연습을 하라고 하는데, 아까 진통 올 때 힘줬던 것을 그대로 떠올려 힘을 주었다. 왜냐면 무통을 맞았기 때문에 통증에 자연스럽게 수반되는 힘주기가 사라졌기에, 그 통증이 왔을 때를 생각하며 힘을 몇 번 주니 아래쪽에 뭔가(휘담이 머리)가 끼인 것 같은 느낌이 확 왔고 바로 간호사 선생님을 불렀다. 간호사가 아래를 보고 확인하더니 곧 낳겠다고 의사 호출! 그리고 선생님을 기다리며 이번에는 힘을 주지 않는 것을 연습을 했다.

왜냐하면 담당 의사선생님이 오신 후 그 지휘 하에 낳아야 하기 때문이다. 그런데 선생님이 바로 안 오셨다. 나중에 듣고 보니 유도분만이 이렇게 진행이 빠른 경우가 많이 없어서 더 진행되고 오시려고 하셨던 것 같음. 그렇게 기다리다 막판 진통이 정말 무통을 뚫고 나올 만큼 아팠는데, 선생님은 안 보이니 마지막에는 소리쳤다.

"선생님 못 참겠어요!!"

간호사 선생님은 내 울부짖음을 보고 다시 전화기를 잡고는 아래 내려가 다른 산모를 진료 중이신 선생님을 다시 한번 호출했다. 선생님은 헐레벌떡! 곧 오셨고, 아래쪽 상황을 보자마자(휘담이 머리가 보이는 상황) 수술복으로 환복하고 휘담이를 받아 주셨다. 그리고 후 처치(살을 꿰매는 작업)까지 끝내주셨는데 무통주사 덕분에 후처치는 하나도 아프지 않았다. (물론, 무통주사 효과가 끝나고는 너무 아팠음.)

#후_처치
후 처치는 아기가 잘 나오라고 질 입구 아래쪽을 칼로 살짝 찢어 놓는데, 그 부분을 봉합하고 태반(실제로 봤는데 진짜 얼굴 반 크기만 한 빨간 핏덩어리였다. 궁금해서 꼭 보여 달라고 했음.)을 배를 꾹 눌러 빼내고 아기가 나온 길을 소독했다. 모두 무통주사 덕분에 안 아팠음. 무통아.. 고마워..

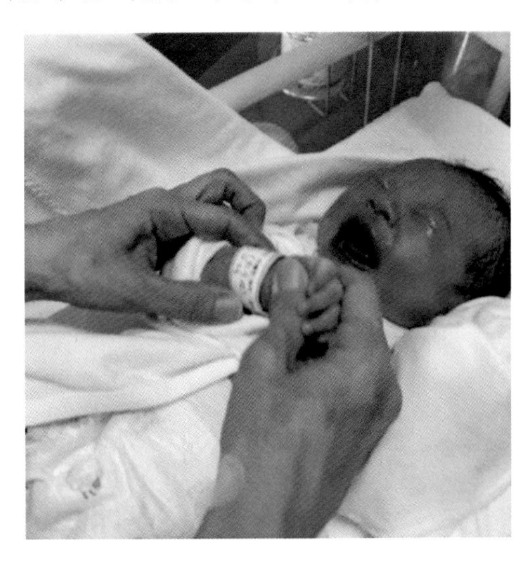

그렇게 21년 8월 3일 오후 1시 3분. 나의 소중한 아기 휘담이를 만났다. 』

여기까지가 휘담이 출산 며칠 후에 내가 기록해 놓은 출산 후기야. 그 뒤 어떻게 상황이 전개됐는지 알려 줄게.

#그_후_진행상황

제왕절개를 했다면 입원기간은 4-5 일이고, 자연분만은 2-3 일이야. 병원에 있는 동안 나는 병원에서 주는 항생제랑 진통제를 꼬박꼬박 먹고, 신생아실에 가서 아기를 보고, 아기에게 젖을 물리는 연습도 했어. 또 모유가 처음부터 콸콸 나오지는 않거든? 모유는 보통 아기 낳고 2 일 후에 슬슬 돌기 시작해서 나중에는 엄청난 가슴통증으로 찾아와, 모유수유에 대한 자세한 얘기는 '지옥 같던 모유수유' 장에서 말해 줄게. 아무튼 모유 수유실에서 엄마 가슴에 고개를 파묻고 나에게 오로지 의지했던 휘담이의 모습이 2 년이 지난 지금도 선명해. 그때 아기 얼굴만 봐도 벅차올랐던 뜨거운 그 감정은 평생 잊지 못할 거야.

#제왕이냐_자분이냐

안 아픈 방법은 없어. 둘 다 힘들고 둘 다 아픈데, 사람마다 상황마다 몸이 덜 고생하는 방법이 있을 뿐. 나는 속골반이 넓고(속골반 크기는 내진으로 알 수 있어.) 휘담이가 2kg 대로 작은 아기였기 때문에 어렵지 않게 자연분만을 선택했지만, 힘을 주다가 방광이 다쳤는지 얼마 전까지도 치료를 받았었지. 친한 언니는 최근에 둘째 출산을 했는데 무통 없이도 진통을 거의 하지 않고 아기를 낳았어. 날을 잡고 유도분만을 하려고 갔는데 이미 자궁 문이 4cm 정도 열려 있었대. 통증 하나 없이 말이야! 참 신기하지. 또 제왕절개가 힘들지 않았다는 이야기들도 정말 많아. 너무 아팠다는 말도 그만큼 많지.

이건 오로지 정말 오로지 아기를 낳을 당사자만이 정할 수 있는 선택이야. 의사선생님의 의학적 소견과 자기 몸 상태를 살펴가면서 스스로의 몸에 가장 최선의 선택을 하길 바라.

결과를 모른 채 출산방법을 선택하는 건 쉽지 않지. 책임도 온전히 내 몫이니까 말이야. 내가 선택을 내릴 때 도움이 됐던 생각을 끄적여볼게.

'어떤 선택이든 아프고 힘들다. 그럼에도 나는 감수하고 간다. 나는 대단하고 용기있다.'

아기를 낳기로 한 너는 참 대단하고 용기 있다. 어떤 선택이든 조금만 아프고 네가 안전하기를.

제 5 장. 조리원과 산후도우미

내가 예약한 조리원은 병원 바로 옆이어서 차로 10 분이면 도착할 수 있었어. 그 일대에서 아주 비싼 조리원이었는데, 음식이 정말 맛있었지. 근데 정작 나는 그 호화롭고 평화로운 곳에서 우울했어. 출산 후 호르몬이 엄청나게 변하기도 하고 사람들을 만날 수 없이 방에 갇혀만 있어야 하니까(코로나에 대한 공포가 온 세계를 점령할 때라서 남편부터 가족, 지인의 출입이 완전 불가했음.) 임신 중 조기진통으로 힘들었던 입원기간이 떠올랐어(입원 당시도 3 주간 격리생활). 총 14 일 예약했던 조리원 이용 기간을 10 일로 바꿔버리고 말 그대로 조리원을 탈출했어.

조리원에서 받던 마사지도 너무 아팠고 남편이 밤마다 나를 찾아와줬지만(문 밖에서 10 분 정도 만남.) 그것 만으로는 내 우울이 해결되지 않았지. 돌이켜보면 진짜 그 때 조리원을 갔으면 안 됐다고 생각해.

그 다음 해에 내 경험담을 듣고 출산한 친구는 조리원 예약을 하지 않고 산후도우미를 부르고 또 친정부모님 밑에서 몸을 조리했는데, 괜찮았다고 하더라고. 그런데 혹시 조리원에 남편이 함께 할 수 있는 환경이라면 나는 기꺼이 조리원을 추천할게. 부부가 함께 있고 누군가 방문할 수 있는 환경에서의 조리원이라면 나도 참 좋았을 것 같아. 정말 하나부터 열까지 다 해주니까.

#정부지원_산후도우미

정부에서 산후도우미 비용을 2주 정도 지원해주는데(정부 정책에 따라 시기마다, 지역마다 지원 정도가 다름.), 베테랑 산후도우미를 만나면 초기 육아에 대한 전반을 배울 수 있어서 좋아. 아기 목욕시키는 방법, 손톱 깎는 법을 익히고 아기를 안는 법, 기저귀 가는 법 등 기본적인 것들을 도우미 옆에서 많이 배울 수 있었어. 산후도우미는 아기를 봐주고 산모의 밥을 챙겨주는 일이 주된 역할이야. 밥은 냉장고에 내가 먹고 싶은 재료를 채워 놓으면 알아서 해주거나, 따로 도우미와 이야기해서 무엇을 먹을까 대화를 통해 메뉴를 선정하기도 하지. 보통 알아서 잘 해주니까 너무 걱정 말고 맡겨봐. 그런데 그래도 앞서 말한, 집 안에 카메라는 꼭 설치하기를 바라. (카메라 설치시 도우미에게 그 사실을 반드시 알려줘야 해.) 내가 간혹 은행일을 보거나 밖에 외출할 일이 생겨서 나가 있을 일도 있고, 내가 잠을 잘 때 아기가 어떻게 지내는지 엄마가 알고는 있어야 하니까.

제 6 장. 지옥 같던 모유수유

#실패자의_경험담

실패는 성공의 어머니야. 내 실패를 발판 삼아 너는 고생하지 않고 원하는 바를 이뤄낼 수 있기를.

이 파트, 우선 별표 다섯개부터 치고 시작하자. 임신, 출산, 육아를 모두 통틀어 내가 제일 고생한 파트야. 나는 임신이나 육아에는 관심이 정말 많았는데, 모유수유는 전혀 관심이 없었어. 와닿지도 않았고 그렇게 어려운 일이라고 생각하지 않았지. 그냥 아기한테 가슴만 물리면 되는 일인데 뭐 특별히 어려울까? 생각했지. 뭐 사람마다 개인차가 분명 있지만, 고통을 잘 참는 편이라고 무려 산부인과 선생님이 인정한 내가 말하건대, 제일 아프고 제일 힘들었어.

나는 무슨 생각으로 모유수유 하나 공부하지 않고 출산에 뛰어든 걸까, 후회할 만큼이었어. 그러니까 너는 아기를 만나기 전에 무조건 모유수유를 공부해 가길 바라. 모유는 보통 아기를 낳고 2 일-3 일 후부터 가슴이 땡땡해지고 멍든 것 같은 통증과 함께(사람마다 통증 유무 다름. 보통 아픔.) 아주 진한 노란색으로 소량씩 나오기 시작해. 처음에는 젖꼭지를 눌러야 노랗게 나오는데 나중에 되면 알아서 젖꼭지 부분에 모유가 맺히기도 해서, 상의 속옷에 생리대처럼 나온 전용 패드를 붙이지 않는다면 옷이 모유로 흥건하게 젖을 수도 있어. 모유량은 조절될 수 있는데, 아기가 많이 먹으면 많이 나오게 되고, 적게 먹으면 모유도 천천히 줄어들거나 마르지.

보통 젖양이 적으면 아기가 먹을 게 없으니 고생할 거라고 생각하는데, 아니야. 젖양이 적은 건 유축기(인위적으로 젖을 짜 주는 기계)로 젖을 짜는 횟수를 늘려 조절할 수 있고 생각보다 유축 자체는 수고스럽기는 해도 고통스럽지는 않지. 반면, 젖양이 많은 사람의 경우 모유가 찰 때 가슴에 분포한 혈관으로 차는데, 조용히 차오르지 않거든. 젖이 가득차서 빠져야 할 때 빠지지 못하면 혈관이 찢어질 것 같은 통증이 그대로 느껴지지. 젖양이 너무 많아 그 고통을 그대로 겪은 후자가 바로 나야.

#젖양
가슴이 큰 사람이 젖이 많을까? 당연히 아니야. 가슴 크기와 젖양은 크게 상관관계가 없다고 해. 나는 보통의 가슴 크기인데 왠만한 엄마들이 젖병에 10 미리도 채우지 못할 때 혼자서 50 미리를 채운 사람이야. 근데 여기에는 조리원의 실수가 들어가 있어. 일반적으로 대다수의 산모는 초반에(아기 낳고 일주일 이내) 젖이 많이 나오지 않아 고생하기 때문에 이를 늘리려는 노력을 많이 하는데, 그 노력이 바로 손으로 마사지를 해주고 유축기로 일정시간 젖을 빼주는 거야. 그러면 젖은 유축기가 뽑아 주는 양에 적응을 해서 젖양을 늘리게 되지. 보통은 이런 시도가 도움이 되는데, 젖양을 늘려 아기가 먹을 수 있는 양이 많아지게 되면 아기 수유에 도움이 되기 때문이야.

#조리원의_실수
나는 조리원의 시도와 가장 맞지 않는 최악의 처지였어. 젖이 적당히 불어났어야 하는데, 유축기로 순식간에 많이 불어나 버린 젖은 모유가 찰 때마다 가슴에 화상입은 것 같은 고통을 가져다 줬고 아기는 너무 어려 내 젖양을 감당하지 못하고 (심지어 휘담이는 신생아 황달이 와서 모유는 못 먹고 분유를 먹었지.) 내 젖은 병에 걸려 결국 나도 단유의 길을 걸었지.

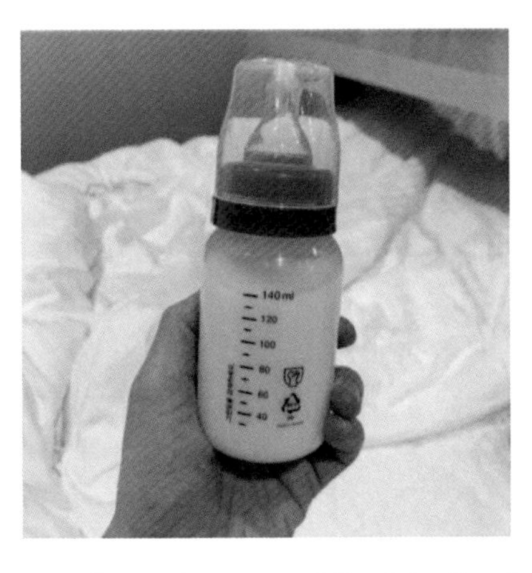

얼마나 젖이 많이 나왔냐 하면, 왼쪽 사진이 한 번 유축하면 나왔던 양인데, 보통 산모들이 저 젖병 절반도 못 채울 때 나는 저렇게 한가득 채울만큼 모유가 많이 나왔었지. 그래서 휘담이가 먹지 못하고 유축해 놓았던 젖은 따로 담아서(모유보관팩이라고 무균팩에 저장) 냉동시켰는데 그 양으로 조리원 퇴소 후 담이가 2-3 주 정도는 먹을 양이었어. 그 덕에 짜 놓은 모유는 모두 휘담이가 먹을 수 있었지. 내 고생이 그래도 물거품으로 돌아가지는 않아서 정말 냉동고에게 고맙다고 생각해.

#실패자의 충고

모유수유를 잘하고 싶다면 아기와 초반에 떨어져 있지 말고 쭉 함께 있으면서 아기의 직접적인 모유 섭취를 통해 젖양을 내 아기의 양에 맞게 늘리는 자연적인 방법이 가장 효율적이고 좋다고 생각해. 이건 실패한 사람으로서 내가 다시 돌아간다면 무조건 이 방법으로 모유를 먹이겠다고 여러 번 생각한 방법이야.

물론 우리나라 산후조리 정서상 엄마가 이때만이라도 아기를 보지 않고 편하게 쉬게 하는 게 압도적으로 선호하는 조리 방법이라고 하지만, 나는 개인적으로 모유수유에는 좋은 방법은 아닌 것 같아.

다른 것은 차치하더라도 아기를 먹이는 일만큼은 오로지 나와 아기의 합이 맞을 수 있게 직접 하는 것이 내 가슴을 가장 고생시키지 않는 방법이면서 육아가 장기 마라톤이라고 봤을 때 가장 알맞은 방법이지.

더불어 엄마는 아기 바로 옆에서 아기를 바라보면서 원하는 것이 무엇인지 쉽게 파악할 수 있게 되고 배고플 때 어떻게 우는지, 어떤 식으로 젖을 물고 어떤 자세로 젖을 먹을 때 잘 먹는지 등을 태어나고 한 1-2 주 사이에 파악할 수 있게 되는 것은 앞으로의 육아에 큰 자신감을 불어넣어주지.

그러니까 조리원을 선택할 때 아기와 엄마를 마냥 떼어 놓는 걸 산후 조리라고 대놓고 홍보하는 조리원은 그다지 추천하지 않아.

또 모유수유를 잘 알려주는 전문가 유튜버들의 영상을 꼭 시청하길 바라. 수유 자세부터 젖을 잘 나오게 하는 방법까지 아주 자세히 알려주는 영상들을 몇 가지 추천해 줄게. 다음 추천하는 채널은 육아 관련해서 도움이 되는 내용들이 많으니까 검색해서 둘러보고 도움받기를!

추천 유튜브 채널명: '하정훈의 삐뽀삐뽀 119 소아과', '권향화 원장의 다울아이 TV', '맘똑티비'

#단유의세계

단유는 철저히 엄마의 선택이야. 고통도 책임도 모두 엄마의 몫이라서 주변에서 개입하면 그냥 무시하고 흘러 들어버려. 그걸 모두 상대하는 것도 낭비야 낭비.

나는 단유하는 이유가 질병이었지만 사실 그 이유가 개인적인 선호라도 당연히 존중받아야 한다고 생각해.

단유, 다시 말 해 모유를 끊은 것. 후, 나는 이것도 너무 힘들었어. 일단 젖이 찰 때 가슴이 미친듯이 아프고(내 기준 진통의 고통보다 더 했는데, 사람마다 가슴에 젖 차는 통증이 크게 안 아픈 엄마들도 많다고 해!) 혈관에 찬 젖을 짜내서 빼 줘야 안 아픈데 그렇다고 가슴을 자주 건드려서 빼 주게 되면 단유가 어려워지지.

가장 효과적이고 무식한 단유 방법은 젖이 아프던 말던 건드리지 않고 그대로 놔두는 거야. 무식하다고 한 이유는 참는 게 엄청나게 아프기 때문이지. 당연히 인위적인 단유약이 있어. 여기저기 찾아보니 약은 너무 독하다, 약 부작용이 심하다고 병원에서도 권유하지 않는다고 하던데 그렇다고 젖을 물리지 않고 서서히 젖을 말리기에는 나는 젖양이 너무 많았지. 하루하루 이를 고민하는 사이에 나는 병들어 갔고, 조리원에서 나오자마자 타이레놀로 꾹꾹 누르던 염증들이 터지고야 말았어.

#젖몸살

젖은 결국 세균에 감염되었고 가슴에는 붉은 발적이, 체온은 40 도 가까이 되면서 첫 번째 젖몸살이 찾아왔어. 첫 번 째로 순서를 매겼다는 건, 맞아 두 번째도 있었다는 이야기야. 심지어 젖몸살로 약을 먹는 중에 두 번째 젖몸살은 더욱 심하게 진행되었지.

모유수유 중에 일단 가슴이 너무 아프고 열이 난다면 젖몸살을 가장 먼저 의심해봐도 좋아. 내가 발열이 있을 때는 2021 년, 코로나 심한 시기. 40 도가 넘는 열에 병원 입구에서(혹시나 코로나일까봐 산부인과 진입 불가) 엉덩이 까고 항생 주사를 맞고(너무 아파서 부끄러운 줄도 몰랐어) 출산 담당해 주셨던 의사선생님이 가슴에 난 발적과 반복되는 젖몸살에 그만 단유하는 게 더 낫겠다면서 약으로 단유하라고 하셨지.

#내가_선택한_단유방법_단유약

내가 알고 있는 단유방법은 크게 1. 자연단유(젖을 점점 물리지 않고 서서히 말리기) 2. 단유마사지를 통한 단유(셀프 마사지를 할 수 있는데, 단유 마사지를 해주는 전문 업체도 따로 있어!) 3. 약을 통한 단유 이렇게 세 가지야. 나처럼 모유의 양이 너무 많은 사람들은 1 번과 2 번 방법이 너무 고통스러워서 단유약의 도움을 많이 받는다고 해. 내 친구들 중에 혹시 나처럼 젖양이 많은데 단유 하고 싶은 친구들이 있을 수 있으니 내가 했던 단유 방법을 자세히 적어볼게.

우선 단유약은 카버락틴 또는 파로델처럼 유즙분비를 억제하는 원리로 작동하는 약이고 호르몬을 조절하기 때문에 두통이나 구토, 속 울렁임 등의 부작용이 보통 있다고 해. 오래돼서 어떤 약이었는지 가물가물한데 약 종류가 거기서 거기라 저 두 가지 중에 하나일 거야. 나는 부작용이 전혀 없었어. 부작용이 없었던 이유는 약을 정말 아주아주 소량만 섭취했어.

선생님께서 아주 극소량으로도 효과가 있을 거라면서 대신에 자연단유방법도 같이 하라고 하셨지. 아기에게 절대로 젖을 직접 물리지 말고 유축기로 하루에 유축하는 시간과 때를 점점 줄여가는 자연단유법과 병행해서 단유약을 섭취하라고 했어. 나는 그 방법 그대로, 그래서 단유는 생각보다 고통스럽지 않게 일주일 만에 깔끔하게 단유할 수 있었어.

+단유차도 먹어봤는데 효과가 있었는지 모르겠다.

제 7 장. 신생아 키우기 조언

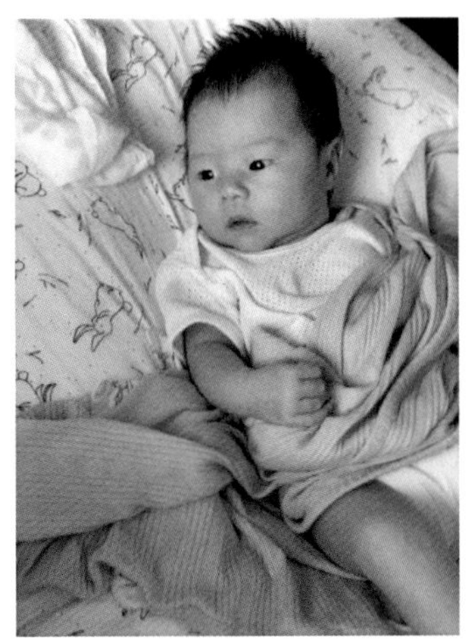
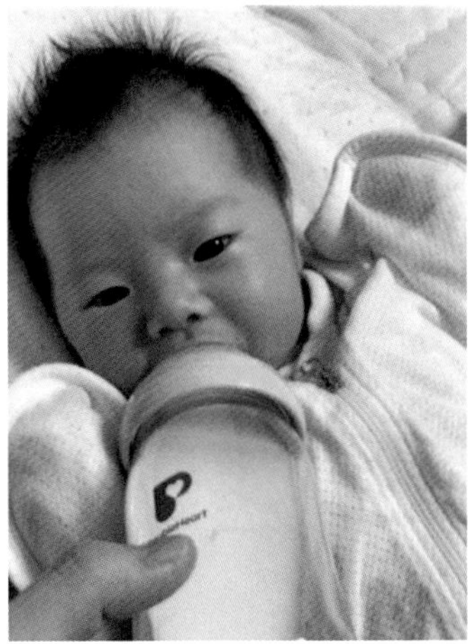

생후 30 일 이전의 아기를 신생아라고 해. 어른 주먹 세 개를 놓은 것과 같은 크기의 신생아는 정말 신비로워. 이렇게 작은데 사람이라고 손가락, 손톱에 발톱, 눈썹 한 올까지 모두 가지고 있는 게 정말 신기해서 아기가 자고 있으면 몇 번이고 온 몸을 훑어봤어. 신생아의 하루 역시 참 색다른데, 하루에도 몇 번을 자고 몇 번을 먹고 몇 번을 싸고, 요구가 많은 작은 천사를 돌보는 일은 밤낮을 가리지 않고 진행됐지. 먹는 것도 보통 2-3 시간 마다 먹는데 특히 한밤중에 자다가 깨서 아기를 먹이는 일이 가장 힘들었어.

신생아를 키울 때에는 몇 가지 중요한 일을 조리원에서 배울 수 있어. 조리원에서 배우지 못하면 산후도우미가, 또는 아기를 키워 본 부모님들이 가르쳐 주시기도 할 거야. 조리원도, 산후도우미도, 주변에 어른들도 없다면 유튜브나 책의 도움을 받아. 오히려 전문가 의견은 더 정확하지.

나는 소아과 의사의 유튜브를 많이 참고했어. 위에서도 언급한 이 채널은 신생아에게 물을 먹여도 되는지, 감기에 걸리면 어떻게 하면 좋은 지, 집안의 온도에서부터 아기 수면교육까지 아기를 기르는데 중요한 정보는 모두 들어 있어 아주 든든하지.

또 하정훈 선생님이 쓴 책 '삐뽀삐뽀 119 소아과'는 지금도 휘담이 키우면서 한 번씩 살펴보기 좋은 육아 필독서야.

다음은 내가 신생아를 돌보며 중요하다고 정리한 내용이야. 총 5가지 내용인데 가볍게 읽어보고 참고했으면 좋겠어.

1)아기 체온 조절 돕기, 습도 조절하기

집안 온도는 20 도 안팎, 옷은 너무 덥지 않고 시원하게, 체온 조절이 안 되면 피부에 발진 등 병변이 생길 가능성이 있고 아이들이 잠잘 때 힘들어 할 수도 있어. 또 체온이 급 변하면 아기들은 딸꾹질을 할 때가 있는데 이때는 모자로 체온을 조절해줘. (참고! 딸꾹질을 해도 보리차를 따로 먹일 필요는 없다고 해. 6 개월 전에는 물을 따로 먹이지 않아도 돼.)

습도 조절도 중요한데 온습도계 하나 사서 두고 습도는 40-60% 사이를 유지할 수 있도록 가습기나 제습기로 조절해주는 걸 권장! 나는 휘담이 낳고 온습도는 항상 권장 범위로 맞추고 재웠어. 여행에 갈 때에도 가습기를 챙겨가거나 젖은 수건을 말려 습도를 유지했지. 온도보다 습도가 아기의 면역력에 더 관련이 있는 것 같아. 습도가 너무 낮으면 담이는 쉽게 감기에 걸리더라고.

2) 배꼽소독 및 목욕

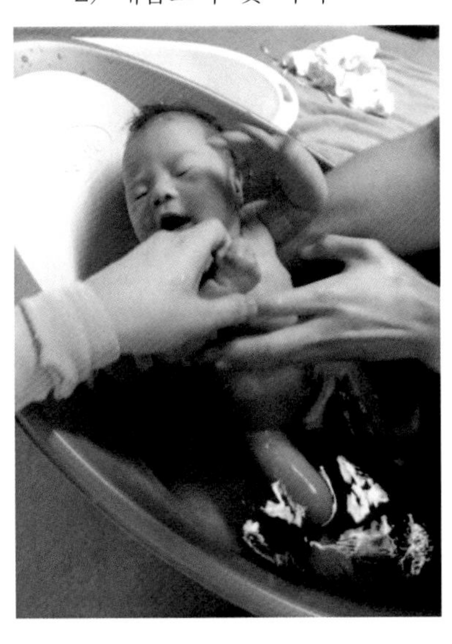

배꼽소독은 자주 해줄 필요 없고, 2-3 일에 한 번씩, 소독도 예전에는 매일 해주라고 했는데 (휘담이 신생아 당시에는 조리원에서 아기 배꼽소독을 매일 해주라고 교육받아서 나는 담이 배꼽 떨어질 때까지 소독을 매일 해줬어.) 최근에는 그렇게 너무 자주 해주지 않아도 된다고 바뀜.

목욕은 손과 발만 아기용 목욕 제품으로 씻어주고 몸과 머리는 물로만 씻어주었어. 물온도도 굉장히 중요한데 너무 뜨거우면 아기 피부가 자극이 되어 목욕 후 * '랜덤 무브먼트'가 올 수 있으니, 너무 뜨겁지 않고 살짝 미지근한 정도(35 도)로 온도를 정확하게 맞추어서 해줘.

*‘랜덤 무브먼트’는 <김수연의 아기발달 백과> 30 쪽에서 다음과 같이 이야기하고 있어.

[출생~3 개월 사이에는 예상치 못한 청각자극이나 피부자극을 받으면 아기 온몸이 한꺼번에 움직이는 모습이 나타난다. 일정한 방향성 없이 온몸이 움직인다고 해서 이를 ‘랜덤 무브먼트(Random Movement)’라고 한다. 의도하지 않은 상태에서 온몸이 움직이면 자신의 움직임에 놀라서 아기의 몸은 또다시 움직이고 놀라서 울게 된다.]

‘랜덤 무브먼트’ 용어가 생소하지? 나도 생소했어. 알고 싶지 않았는데 휘담이에게 일어난 일이었지.

#휘담이_랜덤 무브먼트 사건

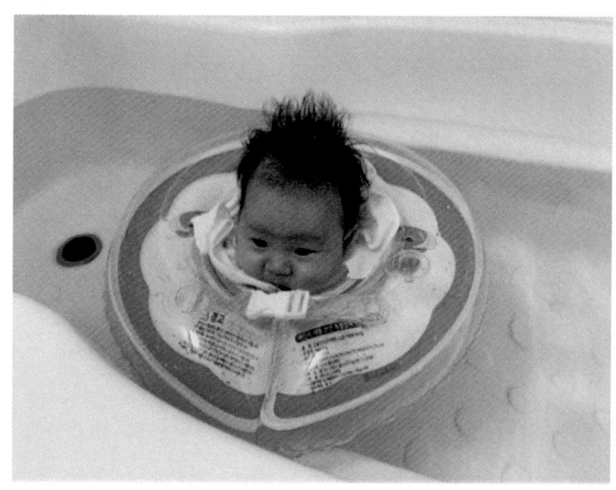

사건이 있던 날은 휘담이 2 개월 차, 태어나고 처음으로 욕조에서 수영을 시켜보려고 한 날이었어. 원래 목욕을 시킬 때 탕온계로 목

욕물이 35 도인지 측정하고 시작하는데 아기 키운지 한 달이 지나니까 이런 절차에 익숙해져서는 대충 손을 넣어 온도를 측정하고 목욕을 시켰지. 이게 실수의 시작이었어. 작은 대야 두 개에 물을 받을 때는 온도의 오차범위가 그렇게 크지 않았는데, 욕조는 크기가 너무 컸고 물 온도도 맞추기가 더 어려웠어. 그랬는데 측정까지 안 했으니, 평소보다 한 2 도 정도는 온도가 더 높았던 것 같아.

물놀이는 30 분을 넘기지 않았고 휘담이가 좋아했어. 다만 하다 보니 아기 얼굴이 점점 빨개지길래 '더운가?' 싶었지. 그 뒤 목욕까지 모두 마치고 나와 옷을 입히고 잠깐 눕혔는데 평소보다 높은 온도가 피부에 자극이었는지 휘담이에게 '랜덤 무브먼트'가 일어나고야 말았지. 온 팔과 다리가 자기 마음대로 움직이는데 아기는 공포에 질려서는 악을 악을 질렀어. 처음 그런 모습을 보였을 때 나는 너무 놀라 우는 담이를 꼭 안고 같이 울었어. 너무 무서웠어. 휘담이에게 나쁜 일이 생긴 것 같았어. 그런데 엄마의 포옹에 휘담이는 금방 진정이 됐는데 그 날 밤 나는 진정하지 못하고 인터넷 검색을 미친듯이 시작했지. (그 뒤로도 담이는 높은 온도에서 목욕을 하지 않았는데도 3-4 번 정도 더 그렇게 '랜덤 무브먼트' 증상을 보였어.)

맘카페에는 아기 질병에 대한 정보가 많아. 증상에 대해 공유하고 서로 알려주기도 해서 도움을 많이 받지. 나도 도움을 받으려 아기 증상에 대해 글을 올렸을 때 한 사람이 '영아연축' 이라는 병이 있다며 알려주는 거야. '영아연축'은 쉽게 말해 뇌전증 발작 증상이거든. 나타나는 개월 수가 4-8 개월이라 2 개월이었던 휘담이에게는 해당이 안 될 것 같았지만 일단 정확한 의사의 진단이 내게 필요했어. 그때 누가 나한테 '랜덤 무브먼트'란 걸 알려줬다면 좋았을 텐데 나는 주변에 의학적으로 의지할 사람이 한 명도 없었고 나와 같은 일을 겪은 사람 또한 없었지. '그래 나는 나한테 의지를 하자.' 마음먹고 뇌 관련 전공을 했다는 소아과 전문의한테 찾아갔어. 내가 의사를 보여주려고 찍은 담이의 '랜덤 무브먼트' 영상을 보여주고 상담을 했는데 의사 답변은 영아연축은 하루 날 잡고 대학병원에 있는 기계로 검사하지 않으면 알 수 없다는 거야. 그러면서 담이의 상태 전반을 체크해 주셨는데 영아연축이 아닐 가능성이 높다고 했지. 정확한 답변은 못 주겠다는 말과 함께.

그 뒤에 내가 책을 여러 권 사서 보았고 책 중 한 권에서 '랜덤 무브먼트'라는 용어를 찾아냈어. 완전 휘담이가 겪은 증상 그 자체였지. 담이는 몇 주 뒤 다시는 그 증상을 보이지 않았고 나는 이때 이런 교훈을 얻었어. "책이 최고다." 그 후부터 육아에 대해 모르는 것이 생기면 관련된 책을 찾아보는데 전반적으로 정확한 답을 찾는 편이야. 우리나라 육아서적들이 정말 잘 되어 있다니까?

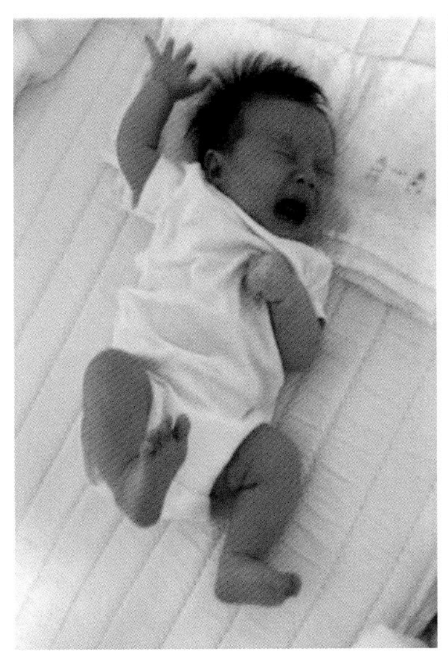
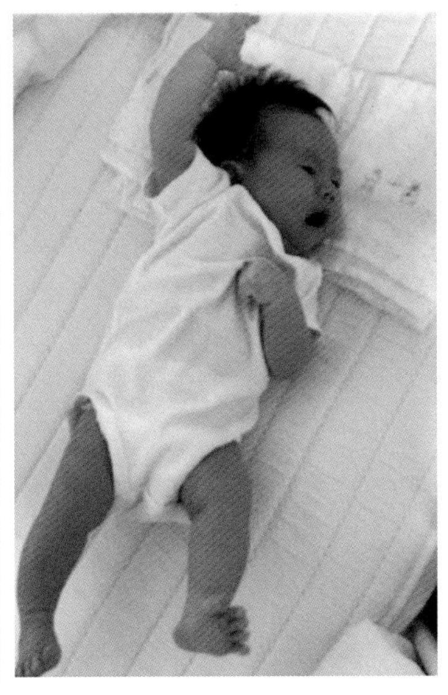

*의사 쌤 보여주려고 찍었던 영상 중 일부 모습이야. 신기한 건 휘담이가 지금(30 개월) 왼손으로 젓가락질을 하고 펜을 잡거든? 여기서도 보면 왼손은 보다 빨리 조절할 수 있었는지 안 움직이려고 주먹 꽉 쥐고 통제하는 거 보여? 왼손잡이는 타고나는 걸까? 아무튼 이때 얼마나 놀랐는지 몰라. 꼭 기억해줘. 아기 어릴 때는 너무 강한 청각 자극이나 피부 자극을 주지 않는 것!

#아기_ 목욕시켜줄_때_ 팁!

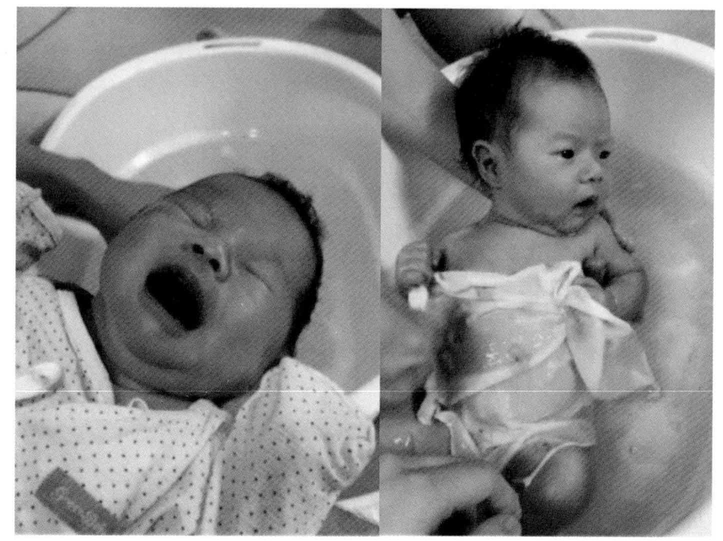

-대야 2 개 준비해서 물 온도 하나는 35 도, 하나는 36 도로 맞춰주기

-얼굴과 머리는 옷을 입힌 상태에서 씻겨주기

-몸 씻길 때는 손수건으로 몸 덮어주기

-낮은 온도(35 도)의 물에서 비누칠을 하고 전체적으로 헹군 다음 높은 온도(36 도)의 물에서 완전히 마무리

-아기 비누칠 할 때는 아기 전용 워시 추천, 몸만 가볍게 씻겨주고 얼굴은 물로만 씻겨주기

-목욕 후 보습 철저하게 해주기

-목욕시간은 너무 길지 않게 20 분 이내로 끝내기

3) 손톱 깎아주기

위에서도 말했지만 나는 손싸개에 반대해. 이건 부모의 선택이야. 개인적으로 나는 손의 감각을 빨리 깨닫게 하는 게 아기의 인지발달에 좋다고 봐서 손싸개를 해준 적이 없어. 그 덕인지 또는 타고난 것인지 모르지만 담이는 발달이 또래보다 전반적으로 빠르기도 하지. 손싸개를 하지 않은 아기는 아직 손이 자기 손인지 자각하지 못하고 막 움직이는데, 그래서 막 움직이다가 자기 얼굴에 상처를 주기가 쉬워. 이에 손싸개를 빼주는 대신에 아기를 본인의 손톱으로부터 보호해주기 위해 손톱을 아주 잘 깎아주었어. 이때 손톱 정리는 손톱깎이로 깎아주지 않았어. 손톱깎이는 잘 깎아지지 않을 뿐더러 오히려 손톱을 날카롭게 만들지.

처음 만나게 되는 아기 손톱은 느낌상 한지보다 얇아 정말 깎는 게 무섭다는 표현이 어울리는 정도야. 심지어 피도 잘 나는데 아기 상처는 빨리 아무니까 너무 두려워하지는 말자.

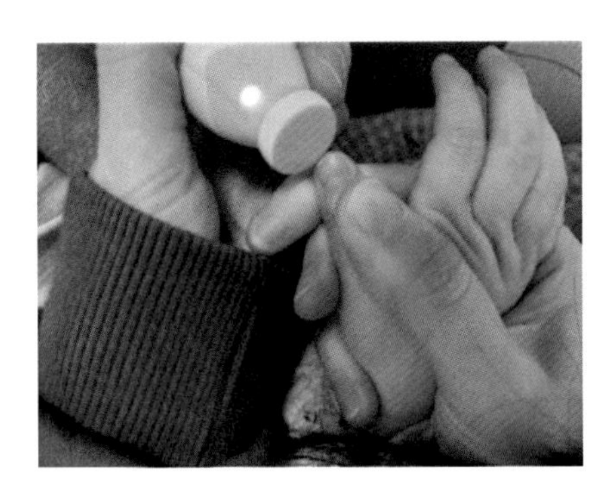

꿀팁! 대신에 트리머(손톱을 자동으로 깎아주는 기계)를 사용해서 가장 약한 모드로 손톱을 부드럽게 갈아주었지. 익숙해지면 아주 잘 사용할 수 있어. +손톱깎이 도구들은 그때 그때 소독해서 쓸 것!

4) 아기를 먹이는 일

신생아는 정말 자주 먹고 먹으면서 자는 일이 많지. 얼마나 자

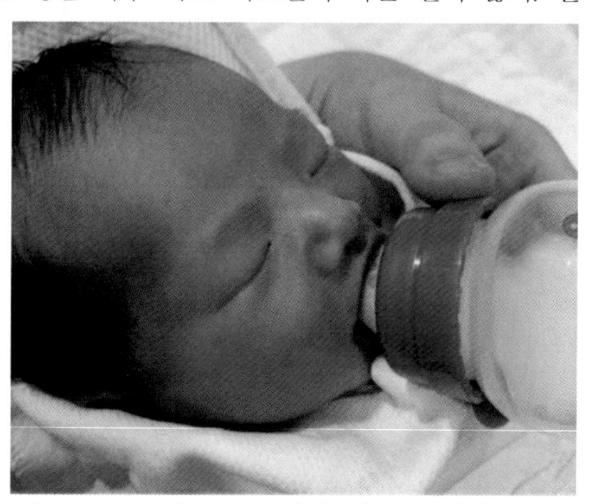

주 먹는 지 궁금했는데 2 시간마다 젖을 찾더라고. 또 먹고 나면 짧게는 5-10 분, 길게는 15 분 정도 트림을 시켜줘야 해서 총 분유수유를 하는데 걸리는 시간은 30 분 정도 걸려.

분유수유를 하던, 모유를 먹이던 간에 신생아를 먹이는 일에 있어서 한 가지 꼭 기억할 것이 있어.

「아기가 원할 때 먹인다. 얼마나 먹을 지는 아기가 결정하게 한다. 」

아기가 배고파 하며 울 때 먹여주고 고개를 돌리고 그만 먹고 싶어하면 그만 먹이면 돼. 아기들은 이미 자기가 먹을 양을 조절할 수 있는 능력을 가지고 태어난다고 해. 이를 어기게 되면 아기는 배고픔이 뭔 지 잊게 되고 먹는 것을 거부하는 사태가 생길 수도 있어. 신생아 이후 아기를 먹이는 일은 신생아 때와는 살짝

다른데 이 이야기는 뒤에서 더 세부적으로 다룰게. 또 아기마다 먹는 양이 다르니까 시중에 떠도는 <몇 kg, 또 몇 개월에 얼마나 먹는다.> 라고 돌아다니는 표는 제발 가져다가 버려. 참고조차 하지 말아줘.

내가 직접 겪고 들은 바로, 먹는 양이 많은 아기는 신생아인데도 2-3 개월 아기처럼 먹기도 하고 먹는 양이 적은 아기는 평균이라고 나와 있는 양의 절반만 먹기도 해.

사실 아기가 잘 먹으면 걱정은 크기 않지. 그 반대의 경우가 걱정일 텐데(휘담이의 경우였어.), 아기가 조금 먹어도 잘 놀고 잘 잔다고 하면 전혀 걱정하지 않아도 좋아. 그게 아기의 양인 것이니까.

5) 수면 교육

위 4)에서는 아기는 먹기를 원할 때 배고픔을 알리고 먹는 양을 조절한다고 했지? 아기는 태어날 때부터 먹는 것을 조절하는 능력이 있다고도 했어. 수면교육은 이와 정 반대라고 생각하면 되는데, 아기들은 잠에 대해서는 스스로 조절하는 능력을 타고나지 않기 때문에 '가르쳐주어야 한다.'라고 생각하면 편해.

신생아는 특히 한참 크느라 시도 때도 없이 자겠지만 그래도 밤 6 시가 되면 수면 호르몬이 나오기 때문에 모든 집에 불을 끄고 아주 작은 전등 하나만 켜놓고 다음 날 해가 뜨기 전까지는 그대로 유지해주면서 밤에는 조용하고 자는 거라는 것을 알려줘야 해. 아기가 밤낮 없이 자는 것 같겠지만 밤과 낮에 자는 패턴은 분명 다르거든.

뒤에서 더 자세히 다루겠지만 휘담이를 키울 때는 다음 두 가지를 꼭 지켰어.

가. 저녁 5-6 시 부터는 아기가 있는 공간의 불은 모두 끄고 주황 불빛의 작은 전등 하나만 켜 놓을 것(소리도 당연히 거의 안 나오게), 혹시 가족 여러 명과 생활할 경우 양해를 구하고 적어도 아기가 있는 방은 이 분위기를 만들어 주어야 해.
나. (낮잠과 밤잠 모두 포함)잠을 재울 때에는 최대한 수면 연관은 만들지 않을 것(바로 옆에 있어주면서 토닥이는 행위, 잠들기 전까지 귓속 전정기관을 살살 달래 주면서 흔들어주고 안아주는 행위 등)

특히 '나' 항목, 쪽쪽이를 물리거나 토닥이거나 책을 무한정 읽어주고 잠들기 전까지 안아주는 수면연관(잠을 들게 만들어주는 모든 관련된 것들)은 나중에 육아의 질을 아주 그냥 지옥까지 떨어뜨릴 수도 있어. 참고로! 위 수면연관 중 틀렸거나 잘못된 건 없어. 내가 지금 말하는 건 특별한 수면연관 없이 아기가 스스로 잘 수 있게 신생아 때부터 수면환경을 만들어주면 아기와 양육자 모두에게 굉장히 도움이 될 거라는 것이지.

다만 아래의 수면 연관은 권장.
-잠들 시간에 집안 조명을 조절해주기

-좋아하는 인형을 안겨주기
-잠들 때까지 아기 몸을 만지지 않기
-졸려 하면 무조건 등을 바닥에 닿게 하기

#쪽쪽이(공갈젖꼭지)
*쪽쪽이는 휘담이가 아기 때부터 물지 않아서 나는 사용해 본 경험이 없어. 쪽쪽이로 수면 연관을 만든 많은 엄마들의 이야기에 의하면 쪽쪽이를 물고 자면 잠들기는 굉장히 쉬운데, 오히려 자다가 중간에 잘 깨서(깊게 잠들면 쪽쪽이가 입에서 떨어지니까) 쪽쪽이를 찾으며 울게 된다고 하고, 쪽쪽이를 끊을 때 아기가 힘들어해서 많이 고생했다고도 들었어. 쪽쪽이가 꼭 나쁜 것만은 아니지만 아기의 치아가 고르게 발달하기 위해서는 돌 전에는 끊는 걸 권장하거든. 쪽쪽이는 그럼에도 단점들을 모두 아우르는 엄청난 장점이 있어. 아기의 울음을 정말 순식간에 잠재워 주고 재우기 힘든 아기는 쪽쪽이 하나로 꿈나라로 아주 쉽게 떠날 수 있다고 해. 구강기의 아기에게 빨기 욕구를 해결해주는 아주 좋은 수단이기도 하지. 양육자가 여러 방면으로 고민하고 필요할 때만 쓰면 아주 좋은 육아 용품이 될 거야.

수면교육은 육아에서 정말 중요한 부분이야. 부모가 통제할 수 있는 영역 중 가장 큰 부분이고 잘 해 놓으면 그만큼 아기의 성장에도 크게 영향을 주는 부분이지. 나는 수면교육을 조리원에서 집에 도착하는 순간부터 했고, 휘담이는 수면교육에 들어간 첫 주가 지나고 곧 밤에는 중간에 젖만 먹고는 따로 놀거나 울거나 하지 않고 내리 12 시간을 잤어. 그러니까 3-4 시간 자고 젖 한 번 먹고, 다시 3-4 시간 잔 후 젖 한 번 먹고 하는 방식으로 쭉 12 시간을 이어 잤지. 그리고 한 달이 지나고 점점 밤에 자는 시간이 5시간, 7시간 이렇게 늘어나서 밤에 하는 수유가 점차 자연스럽게 사라지게 됐어. 그 이후에도 휘담이는 잘 자고 있을까? 신생아 이후 아이 수면에 대해서는 뒷장에서 더 자세히 살펴보자.

정리해 본 5가지 사항 이외에도 신생아를 키울 때 주의할 사항이나 알아두면 좋은 것들이 참 많아. 확실히 육아는 공부하면 더 쉽고 불안한 마음을 가라앉혀 주는 효과도 있어. 그러니까 육아에 들어가기 전에 전문가(소아과 의사, 발달 전문가)의 책을 여러 권 읽어 보길 바라.

#추천_육아서적

다음은 내가 육아하면서 정말 자주 들여다보았던 육아서적들이야. 내가 지금 쓰고 있는 이 글에도 중간 중간 많이 등장하는데, 그 이유는 내 육아에 이 책들이 끼친 영향이 그만큼 많기 때문이겠지. 처음부터 끝까지 앉은 자리에서 추천 도서를 읽기 보다 육아에서 궁금한 부분이 생겼을 때 관련된 곳을 펼쳐서 읽는 것을 추천해.

제 8 장. 휘담이가 썼던 분유수유 아이템

모유 수유는 앞서 말한 바와 같이 내가 길게 겪어 본 분야가 아니라서 잘 모르겠어. 담이는 대부분의 수유 기간을 분유 수유로 했는데 여기에서 내가 알려줄 수 있는 건 담이에게 잘 맞았던 분유, 아기가 사용했던 젖병들에 대한 내용이야.

✓ 담이가 선택한 분유

분유가 잘 맞는 다는 건 아기의 변을 보면 알 수 있어. 이유식을 시작하기 전까지 아기의 변은 황금 색의 살짝 무른 변이 아주 좋은 변인데 담이는 딱히 유산균을 먹이지 않아도 분유를 먹는 내내 밝은 노랑의 황금변을 보았지. 그래서 나는 분유를 고민하는 엄마들에게 내가 고른 분유를 알려주곤 했는데 여기에도 그 기록을 남길게.

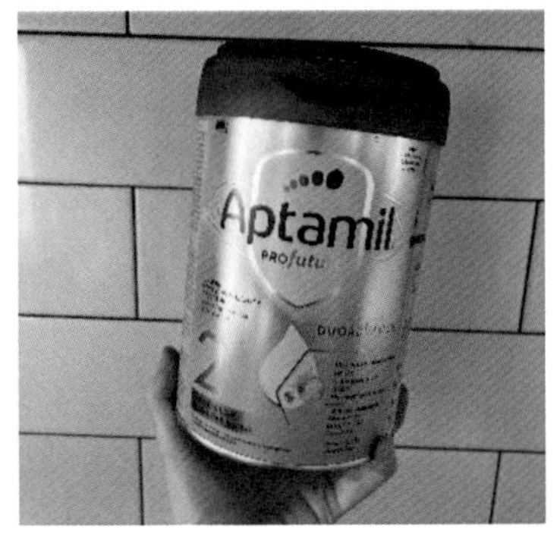

신생아 이후의 시기부터 6 개월 까지는(2021 년 8 월부터 2022 년 1 월) '압타밀 프로푸트라 어드밴스 뉴 HMO PRE 단계'를 먹였어.

'압타밀(Aptamil)은 한국에 유통되는 분유인데, 내가 먹인 건 독일 내수용으로 만들어져 직구로만 구매할 수 있는 분유였지. 내가 이용한 곳은 로켓직구(Coupang)이었는데 4 통씩 묶어 팔고 단점은 분유수급이 불안정하고 주문하면 일주일 이상 걸린다는 점이야. 그래서 보통 직구한 분유를 먹일 때는 한 번에 많이 사 놓기도 해. 담이 분유를 먹이는 내내 분유를 구하기 어렵다는 생각은 거의 없었는데, 담이가 분유를 뗄 즈음해서 러시아와 우크라이나 전쟁으로 한동안 분유가 국내로 못 들어와서 당근마켓(중고)으로 분유를 구매해야 했어.

그러면 그때만 잠깐 다른 분유를 먹이면 되지 않느냐고 생각할 수도 있는데, 분유를 바꾸는 게 아기 입장에서는 스트레스라고 해. 또 아기마다 자기와 맞지 않은 분유는 입에도 대지 않는 아기들도 있다고 하니까 아기를 키우면서 양육자가 아기의 성향을 잘 파악할 필요가 있겠지.

이유식이 시작되는 6 개월 이후부터 11 개월까지는 '압타밀 프로푸트라 어드밴스 뉴 HMO 2 단계'를 먹였어. 중간에 1 단계가 있는데 1 단계와 PRE 단계는 보통 6 개월 전 아기에게 권장돼. 분유마다 영양 성분의 차이가 있으니까 보고 더 관심이 가는 단계에 맞춰서 먹이면 될 것 같아.

*분유를 바꾸게 될 때, 같은 브랜드 내에서 분유 단계를 바꿀 때도 또 다른 회사 제품으로 분유를 갈아탈 때도 아기 장이 적응할 시간이 필요해. 담이 분유를 바꿔줄 때에는 약 3-4 일이라는 시간을 잡고 하루 수유 6번 중에 기존 분유 5번 수유, 새로운 분유 1번 수유, 그 다음에는 기존 분유 4번 수유 새로운 분유 2번 수유, 이런 식으로 새로운 분유의 양을 천천히 늘려서 분유를 갈아탔어. 아기의 장에 새로운 분유가 적응할 시간을 천천히 주는 것이지.

*내가 이용한 분유 말고도 시중에 정말 많은 분유들이 있어. 여러가지 분유들을 살펴보고 신중하게 선택해봐. 마땅히 선택할

게 없다면 내가 고른 분유를 추천해. 휘담이 배변 상태가 확실히 좋았어.

✓ 담이가 사용한 젖병

내가 휘담이 분유 수유를 12 개월하고 내린 결론은 비싼 젖병이 좋은 젖병이 아니고 아기가 잘 먹는 젖병이 바로 좋은 젖병이라는 것이지. 나도 처음에는 '좋은 젖병이 뭘 까?' 하면서 여기저기 찾아다녔고 큰 돈을 주고 비싸다는 젖병 세트도 구매를 했는데(사실 가격이 다들 비싸서 내가 산 제품이 유별나게 비싼 건 아니었어.) 결국 손이 가장 자주 갔던 건 가장 가볍고 또 휘담이가 분유를 잘 먹어주던 젖병이었어.

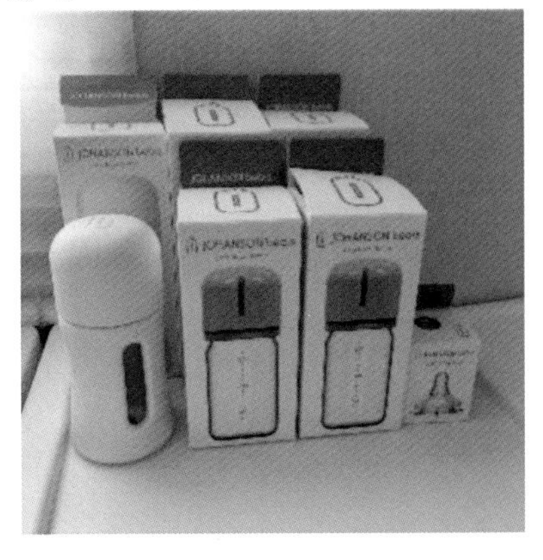

우선 내가 나름 신경 써서 구매한 젖병은 '요한손베비스' 젖병이야. 이 젖병이 인기가 많아서 제품 입고가 되었을 때 알림을 맞춰놓고 구매했지. 이 젖병은 유리 젖병 중에는 가볍기로 유명한데 젖병 위에 보호하는 커버를 씌워주고 쓸 수 있게 되어 있어. 플라스틱에 대해 민감하다면 제일 안전한 소재인 유리 젖병을 추천해. 요한손베비스 젖병은 대신에 유리가 가진 취약점처럼 잘 깨질 수 있다는 점과 PP 젖병에 비해서는 한참 무겁다는 것이 단점이야.

다른 한 가지는 '더블하트' 젖병이야. 플라스틱 소재 중 하나인 PP 소재이고 국민 젖병이라고 할 만큼 이 젖병을 쓰는 소비자들이 많아. 더블하트 젖병이 좋은 이유는 젖꼭지가 정말 개월 수에 맞게 잘 나누어져 있어. 이때 젖꼭지에 뚫린 구멍의 크기에 따라 아기 개월 수에 맞게 세분화가 잘 되어 있어서 휘담이가 원하는 젖꼭지 구멍을 찾기에 좋았어. 젖꼭지 구멍이 너무 크면 아기가 먹기 버거워지고, 너무 작으면 꼭지를 빨아도 젖이 잘 나오지 않아서 아기가 수유 중에 울거나 짜증을 내지.

제 9 장. 휘담이 분유거부 사건

인스타그램으로 소식을 주고받았던 담이보다 2 개월 빨리 태어난 친구의 아기가 먹성이 좋았어. 내 주변에 경험이 있는 아기 부모라고는 그 친구밖에 없어서 가끔 한 두 마디 나누는 톡으로, 심지어 겨우 1-2 개월 담이보다 앞서 있으니 그 친구가 아기 키우는 이야기를 귀 기울여 들었지. 그 친구의 아기는 3 개월쯤에 200ml 를 먹는다는 거야. (그 친구 아기가 먹성이 대단히 좋은 편인 것이었어.)

어라? 휘담이는 먹는 양이 100ml 에서 120ml 정도 됐었는데 내가 뭔가 잘못하고 있나 싶었어. 그때 맘카페에 들어가서 어떤 표를 보게 되었는데, 표에는 몇 개월에 얼마의 양을 먹어야 하는지가 나와있었지. 이게 담이가 분유를 거부하게 된 내 오개념의 시작이었어.

작게 태어난 아기를 크게 키워내는 것이 엄마의 역할이라는 말을 많이도 들었지. 2.89kg, 성장분위 25% 정도로 작게 태어난 휘담이를 나도 크게 키워내고 싶었어. 그래서 담이가 조금이라도 배고파 하는 기색을 보이면 열심히 분유를 타다 날랐어. 내가 잘 먹이기로 다짐한 초반에 휘담이는 엄마가 주는 대로 열심히 잘 받아먹었어. 기특했어. 그렇게 한 달이 흘렀을까 어느 순간부터 인가 담이가 분유를 대하는 태도가 무심해졌어.

다른 아가들은 배고파서 입을 삐끔거리고 짜증내고 울기도 한다는데 휘담이는 분유를 먹은 지 한 참이 되어도 (3 시간이 지나도) 크게 울지도 않고 배고픈 티를 안내는 거야. 혹시 아픈가 싶기도 하고 애가 왜 그러나 싶다가도 나는 또 정해진 양의 분유를 줘야 한다는 강박에 분유를 타다가 대령하면 또 담이는 살짝 먹고 다시 분유거부.

그런 와중에 내가 꼼수라고 생각했던 방법이 담이가 잠을 자면서 먹으면 분유를 잘 먹더라고. 몇 번 시도해서 하루에 그래도 700-800ml 정도의 양은 먹이자 라고 목표를 잡았지. 이때가 아기 4 개월이었어. 휘담이 4 개월에 분유거부가 한참 물이 올랐을 때 우리 시어머니께서 잠깐 아기를 봐주셨는데, 그 때 내가 잠깐 복직을 했을 때야. 어머니도 잘 먹지 않는 담이 때문에 얼마나 고생을 하셨는지. 보통 다른 아기들은 10분 정도면 수유가 끝나는데, 나와 어머니는 휘담이를 붙잡고 한시간 동안 분유를 먹여야 했지. 잘 안 먹어서 오는 안타깝고 답답한 마음을 떠나, 아기를 품에 안고 고개 숙이며 같은 자세로 한 시간 동안 분유병을 붙잡는 일은 정말 쉬운 일이 아니야. 또 분유를 하루에 5-6 번 수유해야 하니 시간으로 치면 하루 5 시간은 지옥이었어. 에휴. 지금 생각해도 우리 어머니한테 너무 감사하고 죄송해.

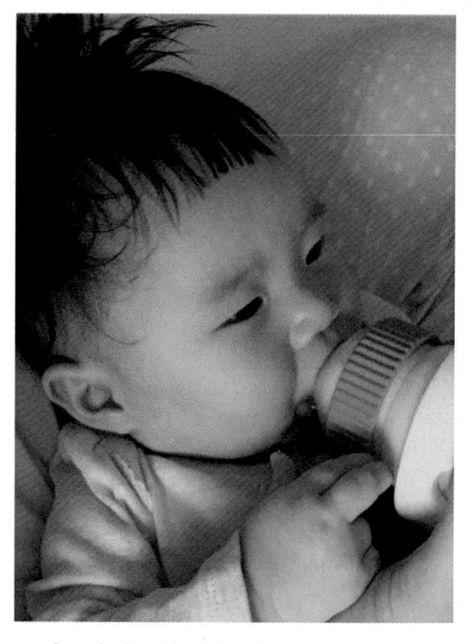

나는 곧 생각했지. 이상하다? 다른 아기들 먹는 만큼만 먹였는데 왜 휘담이는 이렇게 안 먹지? 문제가 있다. 해결하자. 나는 일단 원인이 될 만한 것들을 따져보았어. 젖병, 젖꼭지, 분유 종류, 수유자세 전부를 분유거부의 타겟으로 놓고 하나 하나 살펴 나가기 시작했지. 젖꼭지는 정말 안 써본 종류가 없었고 분유도 혹시나 압타밀이 맛없나 싶어서 중간에 한 두 종류의 분유를 더 사서 먹여도 보았지. 효과가 전혀 없었어.

그러면 기본적으로 수유자인 나한테 문제가 있나 보다. 다시 처음부터 공부하자 생각 했어. 분유수유와 관련된 책을 샀어. 그때 내가 본 책은 정말이지 구세주 같았어.

'8 장'에서 먼저 추천 육아서로 언급했던 도서 <잘 잘고 잘 먹는 아기의 시간표_정재호>는 아기를 낳을 사람이라면 보고 나면 정말 육아에 도움이 되겠다고 생각한 책이야. 아기를 준비한다고 하는 친구들에게 내가 가장 우선적으로 읽어보라고 추천하는 책이기도 하지. 책 제목처럼 아기를 먹이는 것과 재우는 것에 관한 내용으로 아주 교과서적이고 중요한 내용이 나와 있어.

책의 159 쪽에 당시 내가 머리를 얻어 맞은 것 같은 구절이 있어.

[4 개월 이후 아이라면 적어도 3 시간에서 3 시간 반 정도의 수유간격으로 엄마가 의도적으로 정해둔 시간에만 수유하기를 권합니다.]

내가 '정말 육아는 공부해야 하는구나!'라고 생각하게 만든 책이며 구절이었어. 그러니까 신생아시기부터 한 2 개월, 길게 잡아 3 개월까지의 아기는 배고파 하는 기색을 보이면 수유를 하는 게 맞아. 그런데 4 개월 이후에는 아니야. 그 이후에는 마치 어른들이 아침, 점심, 저녁으로 식사 시간을 잡고 먹듯이 아기에게도 일정한 식사시간이 필요하다는 거야. 없다면 만들어줘야 한다는 것이지!

또, 하나 더. 먹는 양은 엄마가 결정하는 것이 아니고 아기가 결정한다는 점. 우리가 젖병을 잡고 먹여서 먹는 게 양육자의 일인 것 같지만 사실 우리는 정해 놓은 식사 시간에 젖병을 대령해 주는 것 까지만 하는 것이 우리의 일이고 이를 얼마나 먹을 지는 아기 스스로가 결정한다는 것. 내가 아무리 200ml 먹이고 싶어도 담이가 100ml 만 먹고 싶으면 나는 억지로 100ml 를 더 먹일 수 없다는 사실이야.

그 뒤로 나는 책에 나와 있는 4개월의 수유 시간표대로 시간을 정해 담이에게 분유를 주었고, 담이는 고작 하루만에 한달을 질질 끌어오던 분육거부를 끝낼 수 있었어.

한시간 걸리던 수유시간이 단 10 분으로 줄어들고 먹는 양도 오히려 늘었지.

내가 분유거부를 직접 마주하고 해결하면서 느낀 점은, 분유거부나 이유식 거부가 오는 아기들이 처한 상황의 공통점은 배고픔을 느낄 새가 없다는 거야. 휘담이도 내가 배고픈 기색만 보이면 젖병을 대령했기 때문에 스스로 배가 고픈 느낌이 들 새가 없었던 것이지. 중간에 아기가 잘 먹지 않는다면 그 식사 시간은 그냥 넘기는 게 최고의 방법이야. 그러면 다음 식사시간에 마치 며칠 굶은 아기처럼 잘 먹거든. 한 끼, 두 끼 굶는다고 아기에게 큰 문제가 생기지 않아.

다음은 내가 휘담이가 분유거부가 올 때 혹은 밥을 갑자기 먹지 않으려고 할 때 갖추어 놓아야 할 환경과 양육자의 태도에 대한 내용을 정리했어.

- 4 개월 이후 아기가 분유 거부가 왔을 때

-수유 간격을 3-4 시간으로 고정한다.

-분유 양은 넉넉하게 준비하되, 정해준 시간 안에 먹지 않으면 다음 수유 때까지 절대 분유를 주지 않는다.

- 수유시간은 30 분을 넘기지 않는다. (안 먹고 질질 끌면 그냥 젖병 치우기!)

- 이유식이나 밥을 거부하는 상황이 생겼을 때

-식사시간에 장난감이나 미디어는 보여주지 않는다. (식당이라도 예외 없음.)

-정해진 시간에 먹지 않으면 음식을 치우고 다음 식사 시간까지 간식이나 우유를 주지 않는다.

-배고파 하며 울어도 예외는 없음.

*단, 아기가 질병이 있어서 식사나 수유를 거부할 수도 있다는 것은 꼭 알아두고 아기 컨디션을 지켜볼 것. 식사 태도 교정을 위해 한 끼 또는 두 끼를 굶었는데도 아기가 다음 식사에 잘 먹지 않으면 병원에 꼭 가볼 것. 또한 아기가 아프면 먹는 것을 거부할 수 있으니 소아과 의사 의견을 반드시 참고할 것.

그 후에도 나는 휘담이가 커갈 때마다 이 책으로 해당 개월 수에 적합한 식사 시간을 배웠어. 우리에게는 한 두 달의 차이지만 아기에게는 각 개월 수 별 특징이 미묘하게 달라서 책에 나온 내용을 참고하며 육아에 접근했더니 육아가 훨씬 더 수월해졌어.

제 10 장. 신생아 시기 이후 휘담이의 수면 이야기

휘담이는 다른 아기들과 마찬가지로 신생아 시기(생후 30 일) 이내에는 길게 자도 3 시간 이상 자는 때가 많이 없었어. 그런 와중에도 나는, '8 장 신생아 키우기 중 수면교육'에서 언급한 것처럼 조리원에서 집에 온 순간부터 해가 지면 집안의 조명을 끄고 어두운 분위기를 만들었고, 낮이나 밤이나 졸려 할 때면 안아 재우려고 하지 않고 무조건 눕혀서 재웠어. 여기서 포인트는 잠들기 전에 먼저 눕힌다는 거야. 눕히면 울어도 다시 안아서 잠들려고 하면 잠들기 직전에 다시 눕히기를 반복! 하다 보면 몇 번의 시도만에 아기는 그냥 누워서도 잘 자게 될 거야. 운다고 마음 약해지지 마!

그러다 보니 어느새 밤에 3 시간 자던 아기가 3 시간 반을 자고, 4 시간으로 시간이 늘고 50 일쯤에는 7 시간을 자더라고. 휘담이가 잠을 잘 자는 아기라고 할 수도 있겠지만, 내가 지금 담이를 가만히 바라보면 담이는 잠에 대해서는 욕심이 많은 아이도 아니고, 평범한 아이야. 그러니까 이건 교육의 효과이고 어느 아기라도 이렇게 될 수 있다고 생각해.

나는 2 년이 넘는 시간동안 담이를 키우면서 단 한 번도 밤에 불을 끄지 않은 적이 없었고, 눕혀서 재우지 않은 적 또한 없었지. 또 어느 날, 잠들기 어려워할 때면 노래를 불러주고 이야기를 해준 적도 있지만 잠들 때까지 이를 한도 없이 계속 해주지 않고 노래는 한 곡, 이야기는 한 두 편 이렇게 미리 정해놓고 정해진 대로 담이에게 제공을 해준 뒤에는 담이가 더 해달라고 해도 내가 선을 단호하게 그었어.

돌이켜보면 나는 수면만큼은 절대 양보가 없었어. 잠은 아기의 성장에 굉장히 중요하거든. 특히 뇌발달에 말이야.

만약 아기가 좀 크고 (신생아 시기가 지난 이후에) 수면 교육에 들어갔다면 아기의 습관을 바로잡기까지 어려울 수도 있어. 아기가 울고 보채는 것을 그냥 보고 넘기는 것이 얼마나 힘이 들겠어. 그렇지만 육아는 단거리 달리기가 아니라 아주아주 긴 장거리 마라톤이야. 그러니까 중간에 힘들더라도 제대로 잡아줘야 앞으로의 너의 육아가 조금 더 편할 거야.

혹시 아직 아기를 낳기 전이라면 너무 반가운 걸. 꼭 기억해줘. 반드시 신생아 때부터 밤 6 시 이후에는 소리와 조명으로 밤을 알려주고 아침이면 커튼을 걷고 아침을 알려줌과 동시에 수면 연관을 올바르게 만들어주는 것!

아무튼 30 개월 내내 담이에게 수면교육을 일관되게 해준 그 결과 휘담이는 어떤 아이로 컸냐 하면

잠은 엄마가 재워주는 것이 아니라 스스로 자는 것인지 알고 있고, 특별한 수면연관이 없고 중간에 깨서도 다시 잠들기 어려워하지 않고 누워서 잠을 자려고 해.

물론 이런 날도 있어. 주말에는 낮잠에 들기 싫어 떼쓰고 버티기도 하고, 밤에 잠을 자려고 일찍 누웠어도 2 시간 동안 뒤척이는 날도 있었지. (특히 28 개월 넘어가며 최근에 더 그랬던 것 같아.) 인지가 올라가면서 잠들기 싫어서 괜히 화장실에 가고 싶다고 하거나 동화책을 몇 권 더 읽고 싶다고 요구하거나 이야기를

들려달라고 할 때도 많지만, 정해진 만큼이 지나면 내가 더 이상 요구를 들어주지 않는 다는 것을 잘 알아서 혼자서 잠에 잘 자려고 무던하게 노력해.

#분리수면은_실패
21 평의 아파트에서 담이를 낳았어. 옛날 복도식 아파트에 방 두 개, 거실 1 개의 구조였지. 복도 쪽에 있는 방은 냉기가 있고 상태가 좋지 않아서 옷방으로 이용하고 안방 하나에서 세 식구가 잠을 잤어. 그러다가 분리수면을 접하게 되었어. 분리수면이 아기를 보다 독립적인 성향으로 만들어줄 수 있다는 거야.

육아의 목표가 결국 아이의 독립인데. 분리수면을 하면 아기에게 도움이 되지 않을까? 솔깃했어. 그날 나는 범퍼 침대를 주문하고 옷방에 옷을 전부 빼고 방을 청소해놓고는 그 방을 휘담이 침실로 꾸몄어.

담이는 12 개월까지 6 개월 간 정말 완벽하게 분리수면이 잘 되었지. 밤 7 시가 되면 잠에 잘 드는 담이 덕에 우리의 육퇴는 무려 오후 7-8 시였고 이래서 다들 수면 교육을 시키라고 하는 구나 알 수 있을 만큼 육아가 어렵지 않았어. 물론 중간에 깨서 엄마를 찾는 날도 있었는데 그럴 때면 문밖에서 일정시간 기다리다가 혼자 다시 잘 수 있는지 확인했고, 한 5 분 기다렸는데도 울음이 그치지 않으면 그때는 담이에게 가서 '엄마 여기 있어. 걱정하지 마.' 하면서 달래주면 금방 다시 잠이 들었어.

문제는 내가 복직하면서 생겼어.

아기 12 개월 차에 복직한 나는 내 건강을 위해 하루 7 시간의 수면은 반드시 필요했는데, 담이가 새벽에 깨서 5-10 분 정도 울다가 다시 잠에 들면(아기의 뇌는 아직 미숙해서 중간에 깨서 우는 일이 종종 있을 수도 있어. 일종의 잠꼬대 같은 거니까 불을 절대 켜지 말고 살살 달래서 다시 재우거나 그대로 지켜보면 스스로 다시 잘 거야.) 같이 깬 나는 잠들지 못했지.

직장을 다니면서 새벽에 깨서 두 세 시간밖에 잘 수 없는 환경은 내게 휴직을 하며 신생아를 키울 때보다 힘들고 피곤했어. 이건 잠에 예민한 내 기질 탓이 컸지. 똑같은 상황에서 순한 남편은 너무나 다시 잘 자는 걸. 누굴 원망 하겠어.

또 이상하게 돌이 지났을 무렵 담이는 종종 나랑 같이 낮잠을 자면 보통 때보다 잠을 더 깊이 자는 느낌이 들었거든. 그러다가 사건이 하나 있었지.

#휘담이_아빠가_코로나

남편이 갑자기 코로나에 걸렸고 시어머니와 상의하고 코로나로부터 휘담이를 지키기 위해서 남편을 시댁으로 보냈지. 시부모님은 그 직전에 코로나에 걸리셨던 터라 어느정도 면역이 있다고 생각하셨던 것 같아. 다행히 담이와 나는 코로나에 걸리지 않았지만 남편 없이 출퇴근을 하며 육아하는 일이 너무나 힘들었어.

특히 아빠가 집에 없는 걸 잘 아는 돌쟁이 휘담이는 밤에 이상할 정도로 자주 깼고 나는 분리수면이고 뭐고 다 때려치자! 이러다 사람 잡겠다(잡히는 사람이 바로 나였어.) 싶어서 담이와 한 침대에서 같이 잤지. 그랬더니 자면서 한 번을 깨지 않고 잘 자는 거야.

의도했던 분리수면을 실패해서 속상했지만, 그래도 같이 잔다고 해서 아기에게 나쁜 건 전혀 없으니 내 불면증이 사라졌다는 그 사실만으로도 만족해.

같은 방에서 자면서도 내가 고수해오던 수면 규칙들(해가 지면 조명을 낮추고 수면연관을 만들지 않는 일)은 꼭 지켜 나가고 있어. 다만 같은 방에서 자다 보니 휘담이에게 나라는 존재 자체가 수면연관 중 하나가 되어서 휘담이는 가끔 자다가 깨면 내가 있는지 확인하곤 하지. 불편하기는 하지만, 나를 확인하고 품에 파고드는 휘담이가 얼마나 사랑스러운지 몰라. 복직하고 담이와 있는 시간이 줄어 아쉽다는 생각이 들면, 밤 중 잠에 든 휘담이를 옆에서 쭉 지켜볼 수 있다는 사실에 위로 받기도 해.

#침대구조

원래는 작은 싱글사이즈 매트리스를 사서 부부 침대 옆에 두고 만든 저상침대에 휘담이를 재웠다가 휘담이가 재접근기(주양육자, 보통 엄마에게 껌딱지가 되는 시기)가 와서는 엄마랑 큰 침대를 꼭 같이 쓰고 싶다고 격하게 요구해서 아빠가 아래서 자고 담이와 나는 큰 부부침대를 쓰게 되었어.

그렇게 한 1 년 같이 잤는데 글을 쓰는 시점인 24 년 1 월에는 다시 이를 되돌려서 담이에게 담이 침대를 우리 부부가 원래 우리 부부 침대를 쓰고 있어. 이렇게 구조를 바꾸기 전에 휘담이에게 이 사실을 미리, 또 여러 번 예고하고 휘담이 이불들도 같이 가서 새로 구매했지. 거부하면 어쩌나 했는데, 중간에 깨서 엄마 침대로 올라와서 품에 파고들기는 하지만 한 번 안기고 다시 자기 침대로 굴러 내려가서 잘 자고 있어.

앞으로의 계획으로는 담이 세 돌이 되는 여름에 다시 분리수면을 시도하려고 하는데 혹시 실패하면 다시 계획을 잘 세워 봐야지?

제 11 장. 오로지 아이주도 이유식

육아하면서 아기에게 보이는 문제상황에 따라서 양육자가 파고드는 부분이 있다고 생각해. 말이 늦은 아기를 둔 엄마는 발화문제에 집중해 있고, 걷는 것이 느린 아기를 둔 엄마는 아기의 성장속도에 민감해 있거든. 주변에서 괜찮다고, 알아서 다 크게 되어 있다고 말을 해줘도 어느새 걱정이 불안이 되어서 생각의 흐름을 지배하곤 하지.

휘담이와 내가 겪은 문제 상황은 바로 '분유거부'였어. 문제라고 생각했을 때 그냥 흘리는 방법도 있었겠으나, 그 당시에 나는 이걸 해결하겠다고 나섰지. 그렇게 분유거부를 해결한 뒤에도 어느새 나는 '먹는 것'에 예민해져서는 이 분야를 파고들고 있더라고.

내가 그렇게 파고들기 시작하고 바로 이유식의 종류가 크게 두 가지 형태로 나뉜다는 것을 알았어. 하나는 양육자가 떠서 먹여주는 죽 형태의 이유식, 다른 하나는 아이가 스스로 음식을 집어먹는 아이주도 이유식. 처음에는 호기심이었어. '아이주도 이유식'이 뭐지? 아니 이제 막 기어다니는 아기가 무슨 밥을 혼자 먹는단 말이야? 아이주도 이유식에 더 익숙한 외국의 사례를 유튜브로 찾아보았어. 영상에는 5-6 개월 되어 보이는 작은 아기가 정말 혼자서 이것저것 주워 먹더라고. 깨끗하게 먹지 못해 엄마는 치우기 힘들겠지만 불가능한 일이 아니구나? 생각했지.

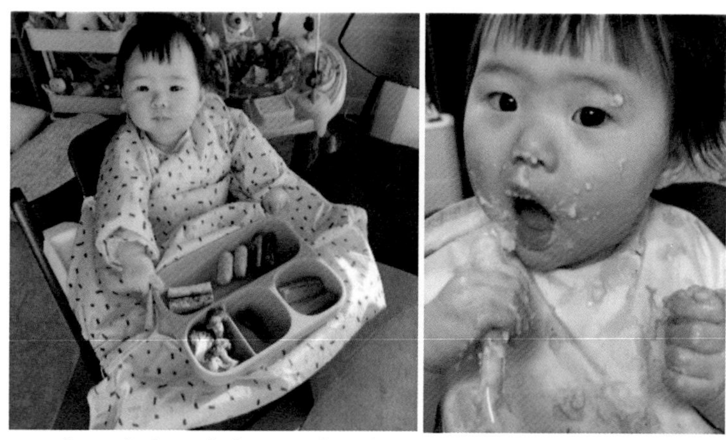

그리고 담이도 아이주도 이유식을 해야겠다고 생각 했어. 처음에 내가 아이주도 이유식으로 담이 이유식을 시작한다고 했을 때 양가 어머니들은 굉장히 어색해하셨지. 혹시 목에 걸리면 어떡하나, 아기한테 가는 영양분은 있겠냐며 걱정도 하셨어. 그래서 나는 부모님들께 내가 공부한 내용에 대해 설명해드리고 설득했어. 사실 항상 내 결정을 존중해주시는 분들이기에 설득의 의미보다는 걱정을 덜어드리는 의미가 강했어.

부모님들께 이런 저런 설명을 해드리면서 내가 강조했던 내용 중 몇 가지는 다음과 같아.

1. '먹는 일' 자체가 부모가 해주는 일이 아니고 아기가 스스로 하는 일이다.
2. 아기가 고형식의 음식물을 잇몸으로 적당하게 오물거리고 혀로 밀어내면서 입근육 발달에 도움이 되고 이것은 아기의 발화에 큰 도움이 된다.
3. 식사에 본인의 손 사용이 필요함으로 손 근육 발달에 도움이 되며 손과 뇌의 협응이 잘 이루어지면서 전반적인 두뇌 발달에 좋다.
4. 죽(유형식)은 모든 식재료를 갈아 섞어 주기 때문에 상대적으로 원재료의 맛을 파악하기가 어렵다. 이에 죽 이유식을 하면 나중에 편식이 많이 생긴다. 반면 아이주도 이유식은 특히 야채류에 대한 편식이 적다고 한다.

이때 위 내용을 언급하기 위해 내가 도움을 받았던 책이 있어. 바로 <라임맘의 실패없는 아이주도이유식&유아식>이야. 이 책은 휘담이 초기 이유식에서 거의 대부분의 식단을 준비하는데 큰 도움을 주었지.

책에서는 아이주도 이유식이 무엇인지, 또 엄마들의 걱정에 대한 답변을 QnA 식으로 잘 정리해 놓았고 아이에게 해줄 수 있는 많은 레시피들이 들어있어. 아이주도 이유식에 관심이 있다면 꼭 라임맘 책이 아니더라도 체계적으로 정리가 잘 된 이유식 한 권을 정독하길 추천!

#이유식_시작_전_알아야_할_1번

휘담이 아이주도식을 준비하면서 알게 된 내용 중 이유식을 하기 전에 반드시 알아야 하는 내용이 있어. 많은 부모들이 아래 내용을 정확하게 몰라서 아이주도 이유식을 하기 꺼려하는 이유가 되는 내용이기도 해.

✓ Gagging 과 Choking 차이 알아두기

쉽고 간단하게 이야기하면 개깅(Gagging)은 아기가 큰 덩어리 음식이 목구멍으로 넘어오려고 할 때 이를 삼키지 않도록 스스로 방어하는 아주 자연스럽고 건강한 현상. 보통 '켁켁 우웩' 이렇게 아기가 헛구역질을 하다가 큰 덩어리를 뱉는 것. 아이주도식을 하면 이렇게 음식을 먹다가 헛구역질하는 모습을 자주 볼 수 있을 거야. (우리나라는 이 부분에 대해 잘 안 알려져 있어서 아이주도 이유식을 더 무서워하고 어려워하는 것도 있는 것 같음.)

반면, 초킹(Choking)은 말그대로 질식. 숨이 막혀 얼굴 색이 변하고 그대로 둘 경우 위험한 상황까지 갈 수 있음. 이 상황은 아기가 몇 살이 되든지, 아기가 아니라 어린이, 청소년에게도 일어날 수 있는 일로 음식을 먹을 때 항상 고려해야 하는 위험 상황이라 부모는 반드시 아이의 생명을 구하는 하인리히 법을 알고 있어야 해. 특히 아기가 식사할 때 아기를 간지럼 태우거나 웃기면 절대 안 되는 이유가 웃다가 음식물이 벌어진 기도로 넘어가 너무 쉽게 질식의 상황으로 빠질 수 있기 때문.

*아기들은 성인과 구강구조가 달라서 쉽게 질식의 상황으로 가지 않아. 대신에 '개깅(Gagging)'으로 음식물이 기도로 오는 것을 방어하지. 그래서 아이주도 이유식을 하는 상황에서 아기가 '켁켁' 거리거나 '우웩'하고 음식물을 뱉으면 곤란해하지 말고 '음~ 안전하게 식사를 하고 있구나.' 생각하면 된다고 해.

휘담이도 6 개월 이유식 시작부터 이유식이 거의 마무리됐던 11 개월까지 종종 켁켁거렸지만 위험한 순간은 전혀 없었어. 대신에 절대 절대 먹을 때 웃기지 않았어.

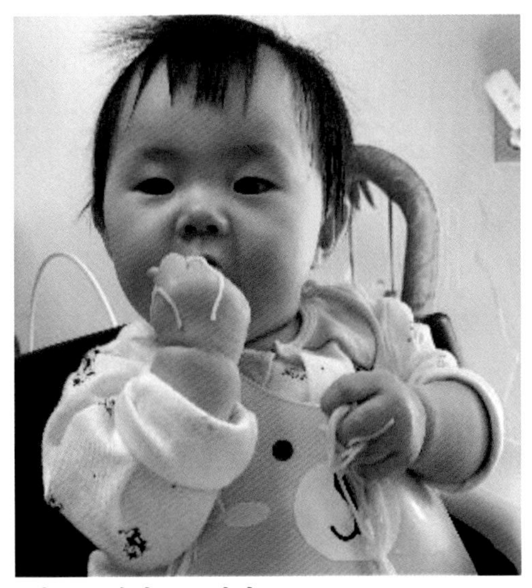

#당근스틱이_그_시작

휘담이의 이유식 시작은 바로 당근! 당근을 간단하게 손에 잡기 쉬운 막대 형태로 만들어서 잇몸으로 으깨질 정도로 푹 쪄낸 후에 식혀서 먹게 했어. 6-7 개월 무렵 아기는 아주 강한 구강기라 뭐든지 입에 다 가져가는 시기라서 굳이 집어서 '먹어!' 라고 제안하지 않아도 무조건 입으로 가져가서 오물거리거든. 켁켁거리는 것이 적응이 안 된 나는 불안하긴 했지만 내가 공부한 내용을 믿었기 때문에 옆에서 차분하게 지켜보면서 당근 하나가 그대로 휘담이 입으로 들어가는 것을 보았지.

그 뒤로 담이의 이유식은 순탄하게 흘러갔어. 사실 실제로 주는 대로 모두 먹었다기 보다는 내가 먹는 일을 담이에게 온전히 일임했기 때문에 잘 안 먹는 날이면, '잘 먹기 싫구나' 생각했고 잘 먹는 날이면 '오늘은 배가 꽤 고프구나. 혹은 좋아하는 식재료가 이건가?' 했어. 내 마음이 조급하지 않고 순탄하게 잘 흘러갔지.

#아이주도_이유식_식판_장면

오레가노를 넣고 끓여 직접 만든 달달한 토마토 파스타 소스에 다진 소고리를 넣은 아기용 토마토 파스타, 살짝 찐 당근과 애호박.

블루베리, 우유를 넣고 끓인 오트밀 죽, 데친 두부와 찐 애호박, 당근과 삶은 달걀

간 마늘과 버터를 발라 구운 닭다리, 찐 청경채, 찐 가지와 당근

#아이주도_이유식을_선택한_친구들에게_조언하는_9가지!

1. 6-7 개월에는 먹는 양이 거의 없을 수도 있어! 잘 안 먹는다고 걱정하지 마. 소아청소년과 전문의 정재호 선생님의<잘 자고 잘 먹는 아기의 시간표> 책을 보면(259쪽 월령별 수유량과 이유식량 표 참고) 6-7 개월에 아기는 분유로 580kcal 를 이유식으로는 130kcal 를 섭취한다는데. 이때까지는 사실 아기가 섭취하는 대부분의 영양은 분유에서 오는 게 맞아. 그러니까 이유식을 적게 먹어서 걱정하기 보다는 분유보다 이유식을 너무 많이 먹게 되면 걱정해야 되는 시기야. 그렇기에 손가락의 움직임이 아직 미숙할 때 열심히 연습하도록 6개월부터 아이주도 이유식을 시작하는 게 맞기도 해. 꾸준히 아이주도 이유식을 하다 보면 나중에 10 개월쯤 되면 숟가락과 포크를 쓸 수 있을 만큼 손근육이 잘 발달하게 되거든.

2. 처음에는 죽 이유식이든 아이주도 이유식이든 먹으면 그 음식물 그대로 배변으로 나와. 그런데 아이주도는 그 덩어리들이 커서 몸에 영양이 덜 간다고 생각할 수 있는데 그렇지 않다고 해. 죽(유형식)은 입자가 작아서 안 보이는 것뿐! 다 똑같이 소화되지 못하고 대변으로 나와. 아기 상태가 좋다면 배변에 음식물이 그대로 보여도 모두 정상. 나중에 소화기 발달하면 어른의 대변처럼 음식물이 그대로 나오는 경우가 줄어들게 될 거야. (휘담이는 8 개월부터 배변에서 보이는 음식물이 많이 줄어듦.)

3. 8-9 개월이 지나 아이주도 이유식을 시작한다면 아기가 스스로 잘 안 먹으려고 할 수 있어. 죽 이유식에 적응이 돼서 그렇기도 하고 어떻게 먹는 지 모를 수도 있으니 앞에서 시범을 보여주면 좋아.

4. 먹성 좋은 아기들은 너무 배고플 때 아이주도 이유식을 하지 않아야 해. 손 사용도 미숙하고 잇몸으로 씹는 것도 익숙하지 않은데 배는 고프고 하니까 엉엉 울어버릴 수도 있어. 그래서 아이주도 이유식 시간표는 죽 이유식 시간표와 살짝 달라! 전문 서적을 참고하면 잘 나와 있는데, 휘담이 이유식 초반에는 분유 먹고 한 시간 반이나 두 시간 후쯤 진행했어.

5. 이유식 교과서로 <라임맘의 실패 없는 아이주도 이유식&유아식>과 더불어 소아청소년과 전문의 하정훈 선생님이 쓴 <삐뽀삐뽀 119 이유식> 서적을 추천해. 아이주도 이유식 책과 별개로 식재료마다 섭취를 할 수 있는 월령이 있어서 이에 대해 잘 나와 있어.

6. 아이주도 이유식은 6 개월 시작부터 하는 것을 추천. 강한 구강기라서 큰 노력을 들이지 않아도 손에 잡고 입에 넣고 하는 것을 자연스럽게 하거든.

7. 식탁에 붙는 흡착식판과 아이주도 앞치마를 육아템으로 추천해. 양육자의 노고를 줄여줄 거야.

8. 과일은 최대한 나중에 먹이고 야채부터 다양하게 맛보게 하기.

9. 이유식은 치아 나는 것과 별개로 진행하면 되는데 잇몸으로 다 먹을 수 있더라. 이가 아직 나지 않았다고 걱정하지마. 휘담이는 소고기를 손가락 크기로 잘라 구운 것도 잇몸으로 씹어서 육즙을 쪽쪽 다 빨아먹더라고(육즙 빨리고 남은 소고기는 안 먹었어). 당근이나 애호박 등 살짝 찐 부드러운 야채는 무난하게 씹어서 삼키고

다진 고기로 만들어준 스틱은 잇몸으로 으깨서 잘 넘겼어. 6-7 개월의 일이야.

그래서 앞서 부모님들께 말했던 장점처럼 휘담이에게 아이주도 이유식이 크게 도움이 되었을까?

나의 주관이지만, 완전 장난 아니야. 휘담이는 개월 수에 비해 말도 굉장히 빠르고 상관이 있는지 모르겠지만 걷는 것도 빨랐지(9 개월에 걷기 시작!). 여러모로 발달이 엄청나게 빠르게 진행되고 있달까. 이 원인에 대해 물론 본인이 타고 난 것도 있겠지만 내가 해준 아이주도 이유식의 영향이 적지는 않다고 생각해. 특히 발음에 있어서는 보통 할아버지를 아기들은 '하비' 또는 '할비'라고 발음하는데 휘담이는 돌 때 이미 '할아버지'라고 아주 정확하게 발음했거든.

옆에서 휘담이의 빠른 성장을 지켜본 나로서 아이주도 이유식을 찬양할 수밖에 없었어. 왜냐하면 아기 발달에 정말 좋은 영향을 주는 것 같았거든. 그래서 만나는 아기 엄마마다 아이주도 이유식을 알려주고 권유하고 다녔지.

하지만 사람마다 상황마다 아이주도 이유식이 어려운 사람들이 있지. 내가 말했지. 육아는 정답이 없고 전부 방향성이라고. 그렇다고 죽 이유식만 하는 게 아기에게 안 좋을까? 당연히 아니겠지. 심지어 나도 오로지 죽 이유식으로 컸는데 나 지금 발음 엄청 정확해. 무엇을 선택하든 전부 정답이야. 여러 선택지 중에 하나를 선택하면 되고 어려우면 절충하는 선택지도 있고. 뭐든지 아기를 책임지는 일부터 큰 일이니 자기 상황에 맞춰서 선택하면 그게 가장 최선의 선택지가 되는 것이지.

제 12 장. 복직을 서두른 이유, 9 개월에 어린이집

내가 육아와 잘 맞는 사람 같아? 나는 휘담이 낳기 전에는 어린 아기를 구경할 일도 없었지만 크게 관심도 없었어. 지금은 내 이름 같은 '엄마'라는 단어도 너무나 어색했고 아기를 안고 있는 나를 상상하기 어려웠지. 특히 핵가족화 된 요즘 세상의 육아를 아기와 양육자 한 명이 대부분의 시간을 집에서 잘 보내는 것이라고 정의 내린다면 나는 육아와 절대 맞지 않아. 나는 휘담이랑 둘이서 집에 있으면 심심했어. 그렇다고 코로나가 막 활개를 치던 시기(2022 년)에 아기를 데리고 카페를 갈 수도 아기전용 키즈카페를 갈 수도 없어서 집에서 휘담이 데리고 책도 읽어주고 노래도 불러주고 밀가루 반죽도 만들어주고 이것저것 하며 놀다가 백화점 문화센터에 아기를 위한 수업이 있다는 소식을 접했지. 등록하고 다니려 하는데 다시 코로나가 더 크게 퍼지면서 등록했던 문화센터 역시 접고 다시 집으로 기어들어왔어.

학교에서 들리는 아이들 웃음소리가 그리웠어. 수업시간 내가 알고 있는 것을 말하면 세상에서 가장 궁금하다는 표정으로 나를 바라 봐주는 내 학생들이 그리웠어. 아기 낳고 약 1 년간 교직에서 멀어지면서 나는 정말 아무것도 아닌 것처럼 느끼기도 했어. 내가 이렇게 내 직업을 사랑했나? 아니 그보다 내 존재의 가치를 사랑했던 것 같아. 또 나는 아이를 낳고 엄마가 되고 보니 엄마라는 사람들을 바라보는 시선을 마주했어. '엄마는 이래야 한다. 엄마는, 부모라면, 반드시 아기를 위해 희생하는 게 기본값이야.' 이렇게 말하는 세상의 눈들이 답답했어. 나는 휘담이를 위해 희생할 준비가 항상 되어있지만, 내 목숨을 바칠 준비도 되어있지만 다른 사람들이 그 사실을 당연하게 생각하는 건 폭력적이었어.

코로나에 문화센터를 취소당하고 집에 오는 길, 생각에 생각들이 꼬리를 물어오며 가슴에 답답함을 느꼈어. 휘담이를 바라보고 있자면 온 우주를 다 가진 것처럼 기쁘지만 웃음이 길어지지 못하는 거울 속 나를 보면, 이대로는 마음에 아주 까만 우물이 생기고야 말겠다고 생각했지. 그리고 그 우물은 나를 집어삼킨 다음 우리 아기를 집어 삼킬 수도 있겠구나 느꼈어.

복직하자. 그래 나는 휘담이를 위해, 또 나를 위해 휘담이 돌 무렵 복직을 하기로 결정했지.

그러고 나니 휘담이와 둘이서 보내는 시간들이 더 애뜻해졌어. 복직 준비로 무엇부터 해야 하나, 길게 고민할 필요도 없이 어린이집을 알아봐야 겠다는 결론을 냈지. 집 앞에 휘담이 데리고 산책할 때 자주 마주치는 어린이집이 있었어. 그냥 무작정 전화를 걸어 '자리가 있을까요?' 물어보았지. 그때가 3 월 중순이라 학기 초 3 월 입학이 모두 끝난 후였는데 0 세반에 딱 한자리가 있다는 거야. 지금 아니면 또 금방 자리가 차서 언제 아기가 어린이집을 다닐 수 있을지 모른다고 하셨어. 그때는 어린이집을 다니게 하려고 선생님이 과장 섞어 말을 하시나 했는데, 과장이 아니었지.

그때 만약 들어가지 않았다면 휘담이는 그해에는 어린이집에 들어가지 못했을지도 몰라.

사실 전화를 한 군데만 한 것은 아니고 그 뒤 근처 어린이집을 모두 알아보고 5군데 더 전화를 돌렸는데 자리가 없는 곳이 많았고 있는 곳은 국가에서 내린 평가가 낮거나 집과 거리가 멀었지. 맞벌이 부부에게 어린이집의 거리는 굉장히 중요해. 아침 출근시간에 아기 밥 먹이고 옷 입히고 출근준비를 하고 등원 시키려면 시간이 정말 부족하지. 그리하여 처음 전화를 걸었던 어린이집에 방문을 했어.

아이들이 낮잠을 자고 있는 시간. 휘담이와 둘이서 방문한 어린이집은 30평의 오래되고 작은 가정집 형태의 어린이집이었어. 선생님들 인상이 너무 좋으시고 '잘 먹고 잘 자는 것'이 중요하다는 원장님의 가치관이 정말 마음에 들었지. 교구는 오래되어 보였지만 크게 신경 쓰지 않았고 그렇게 상담 뒤 휘담이는 그 다음 달부터 어린이집에 다니게 되었어. 그게 휘담이 9개월의 일이야.

겁이 없는 기질이라서 낯선 곳을 두려워하지 않았던 휘담이는 단 한 번의 울음도 없이 아주 금방 적응을 했어. 오히려 엄마보다 더 적응을 잘 했지.

#어떤_순서로_적응시켰는가

어린이집 담임 선생님과 상담 후에 휘담이 9-10 개월까지는 어린이집에 오전 2 시간만 지내게 하자고 했지. 그 뒤 또 한달은 점심을 먹고 오게 하고 그 다음 한 달인 담이 11 개월, 복직하기 한 달전에는 다른 아기들과 같이 낮잠까지 자고 오도록 했어. 보통은 이렇게까지 길게 적응시키지 않는데 휘담이 적응기는 다소 길고 단계적이었어. 아기가 아직 어리고, 내가 충분히 시간이 있어서 가능했지.

#처음에_얼마나_울었는지

해시태그의 주체는 담이가 아니고 나야. 앞서 말한 것처럼휘담이는 엄마랑 떨어진다고 운 적이 전혀 없었지. 휘담이 낳고 휘담이가 나랑 떨어지기 힘들어한다고 생각했는데, 아니? 오히려 아기랑 한몸으로 생각했던 건 나였어. 그때 엉엉 우는 날 보며 한 엄마가 '시간이 지나면 아기가 어린이집에 가지 않는 날에 울게 될 것이다.'라고 했는데 웃기게도 울지까지는 않았지만 휘담이가 어린이집에 가지 않는 날이 아쉬워질 줄이야. 없으면 보고 싶고 보고 있으면 한 숨 잤으면 좋겠고, 육아는 왜 이렇게 이중적인 걸까?

#어린이집_준비물

아기 이름이 새겨진 작은 수건을 5-10 장 정도 준비하기, 이름 스티커, 아기 이불과 베개

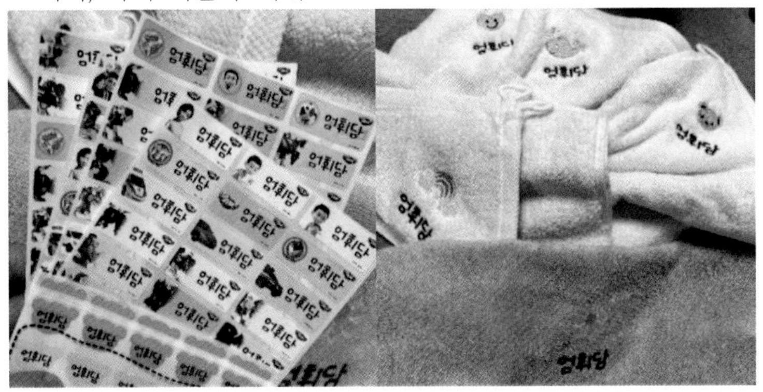

이 이외에는 크게 준비할 만한 것들은 없는 것 같아. 굳이 추가한다면 활동에 편한 상하복 여러 벌 준비해주기?

#어린이집_일찍_보낸_것_후회할까?

아니? 절대 후회 안 해. 너무 잘한 일이라고 생각해. 코로나 시기에 나와 남편 이외에 사람 만날 일이 드물었던 휘담이에게 어린이집은 언어를 배울 수 있었던 아주 좋은 공간이었고 어린이집에서 했던 다양한 행사들은 휘담이의 두 눈을 동그랗게 만들어주었지. 휘담이 보내고 난 뒤 나는 집안일을 하고 글을 쓰고 음식을 만들었어. 그리고 휘담이와 보낼 시간들을 더 알차게 준비하면서 하루를 정말 꽉 채울 수 있었다고 생각해. 담이 어린이집 일찍 보낸 일이 내 육아에서 가장 잘한 일이라고 꼽을 만큼이야.

#아기의_성향에_따라

앞서 '8 장'에서 언급했던 추천 육아도서 중 한 권, <김수연의 아기발달백과> 214 쪽과 215 쪽을 보면 11-16 개월의 시기에 아기를 낯선 환경에 보이는 반응에 따라서 타고난 기질이 크게 두 개로 나뉜다고 설명해 놓았어.

'사고형 아기'와' 다람쥐형 아기'. 붙여진 이름만 들어도 대충 짐작이 가지? 사고형 아기는 쉽게 말해서 낯가림이 있는 아기야. 사고형 아기가 새로운 환경을 충분히 관찰하고 파악한 뒤 움직이는, 조심성이 있는 아기라면, 다람쥐형 아기는 엄휘담 그 자체인데 무조건 몸부터 움직이는 거야. 책 설명에는 겁도 없고 호기심은 많고 순간적인 판단력은 빠르면서 목표지향적이라고 나와. 박사는 두 기질 중 다람쥐형 기질의 아기에 대해서는 어린이집에 일찍 보내는 걸 추천하고 있어. 또 책 216 쪽에는 다람쥐형 아기에게 가만히 앉아 책을 읽어주거나 카드놀이를 하는 정적인 유형의 놀이들이 오히려 스트레스 일 수도 있다는 이야기도 있지. 이 부분을 읽어보기 전에 휘담이의 어린이집을 결정하였었는데, 책을 읽고나서 난 더 마음 편히 담이를 어린이집에 보낼 수 있게 되었어.

주변에 보면 사고형 아기들이 있는데, 이 아기들이 또 어린이집을 힘들어하느냐? 묻는다면 꼭 그런 것 만은 아닌 것 같아. 물론 적응기간이 길고 처음 울면서 어린이집에 들어가는 경우가 많다고 하지만 주변 환경을 충분히 살필 시간을 주면 어떤 아기라도 아주 자랑스럽게 적응을 잘 하더라고!

덧붙여 내가 언급한 이 책에는 아기의 기질 말고도 아기 발달과 아기 발달에 도움이 되는 여러 가지 놀이들이 나와 있으니까 참고해서 보면 좋을 것 같아.

휘담이 30 개월. 휘담이는 어느새 아기에서 어린이가 되어 이사 후 가게 된 두 번째 어린이집을 잘 다니고 있어. 물론 새 어린이집을 적응할 때 하루 정도 낯설어 했는데 지금은 금방 적응하고 잘 다니고 있어. 그러면서도 지난 어린이집이 그리운지 0 세 때 다녔던 어린이집을 자주 이야기하곤 해. 글을 써 내려가는 지금이 2024 년 2 월이고 곧 3 월이 되면 집 앞의 조금 더 큰 어린이집에 보낼 생각이야. 지금 다니는 곳이 이사로 급하게 결정해서 집에서 거리가 꽤 멀거든. 또 교실 크기가 큰 곳이 활동적인 휘담이게는 좋겠다고 해서 남편과 며칠을 고민하고 내린 결정인데 우리 딸이 어디서나 잘 지낼 거라고 믿어.

제 13 장. 간단하게 셀프 돌잔치

아기를 낳고 난 후 가장 크게 갖는 행사가 돌잔치야. 보통 양가 친척과 지인을 모셔놓고 행사장을 빌려 진행하는데, 휘담이 돌 때인 2022 년은 코로나가 한창일 때라, 그리고 코로나가 아니었더라도 내가 크게 하고 싶은 마음이 전혀 없었기도 해서 양가 부모님과 형제들만 모시고 가볍게 돌잔치를 진행했어.

내 돌잔치 목표는 그저 맛있는 호텔 뷔페에서 가족들과 밥 한 끼 먹는 것이었는데 워낙 목표를 소박하게 잡아서 아주 잘 이뤄진 것 같아. 가볍게 잘 이뤄진 돌잔치에 무엇을 준비했는지 알려주면 도움이 될 것 같아서 이번 장을 준비했어.

#준비했던_3_가지

1. 돌잔치 장소 예약하기.

휘담이가 돌잔치로 이용했던 호텔은 코엑스에 인터컨티넨탈 호텔 아래 위치한 '그랜드 키친'이야. 15 명 정도 이용가능한 룸이 있어서 빌렸는데 참고로 여기서는 돌 상차림은 불가해. 식사인원은 총 10 명(휘담이 제외) 식사 예산은 150 만원 정도 잡았어. 식사는 가격만큼 맛있었고 평일에 이용해서 사람이 많지 않아 좋았어. 그리고 인테리어가 고급스럽게 잘 되어 있어서 스냅 사진을 찍을 때 배경이 예뻤던 것이 마음에 들었어.

2. 가족들 줄 답례 선물 준비하기

소수로 진행하는 돌잔치인 만큼 좋은 선물을 주고 싶었어. '러쉬(Lush)에서 가족들에게 어울리는 향의 바디워시를 샀어. 10 개 이상 구매하면 예쁘게 상자 포장을 해준다고 해서 구매한 것이었고 그 위에 휘담이 얼굴로 제작한 스티커를 붙여 꾸몄지. 여기에 이름이 새겨진 천 파우치를 준비해서 같이 넣었어. 답례품의 경우 준비하다 보면 수건, 소금 등을 많이 접할 수 있을 거야. 돌잔치 규모에 따라서 적당한 제품을 찾으면 될 것 같아. 가족 수는 총 8 명, 선물 예산으로 20 만원 정도 잡았어.

3. 스냅사진 예약하기

네이버(Naver)로 스냅사진을 찍어주는 사진작가를 검색했어. 돌잔치 당일 우리 가족과 휘담이의 사진을 찍어주었고 간단하게는 돌잡이 진행까지 해주어서 너무 감사했어. 사진 인화는 해주지 않고 보정된 사진 파일만 주는 것도 너무 마음에 들었어.

네이버에는 '1 인 작가 돌 스냅 사진촬영'을 키워드로 검색하면 활동하는 많은 사진 작가들을 볼 수 있을 거야. 그 중 후기를 잘 읽어보고 돌잔치가 이뤄지는 해당 지역의 작가 중 마음에 드는 분을 선택하면 될 것 같아.

4. 기타준비물

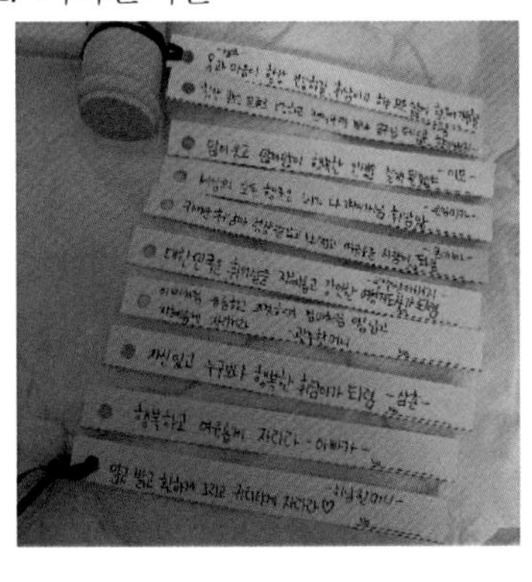

-돌잡이용품

휘담이는 돌잡이 할 때 의미를 조금 더 색다르게 하려고 각 물건들 마다 가족들의 마음을 담아서 적었어.

-행사 의상준비하기

아주버님이 패션 디자이너 셔서 휘담이 드레스를 만들어 주셨는데, 그렇지 않았다면 한 벌 옷을 구매했을 것 같아.

-플랜카드제작

인터넷에 '플랜카드 제작'을 검색하면 돌잔치 관련한 플랜카드를 만드는 업체가 있어. 굉장히 많지. 한 곳을 골라 제작해서 호텔에서 돌잔치를 진행할 때 벽에다가 붙였어. (호텔측에 부착 가능한 지 문의하고 진행)

#아쉬운_것이_있다면

개인적으로 친척들에게 휘담이 보여줄 일이 거의 없더라고. 소규모로 돌잔치를 하니까 주변 어른 분들이 아쉬워하셨고 코로나가 길어져 세 돌을 향해 가는 지금도 얼굴 보여줄 일이 없어서 나 또한 그게 참 아쉬워. 평생에 한 번뿐인 행사인데 크게 하는 것도 나쁘지 않았을 것 같아. 흠. 반대로 크게 했으면 작게 했으면 어떨까 아쉬웠을라나.

제 14 장. 야무지게 기저귀 떼기

담이 돌 무렵 까지만 해도 기저귀 떼는 일이 까마득했어. 어디서부터 시작하면 좋을까 생각하다가 기저귀는 어떻게 떼게 되는지, 왜 그 전에는 대소변을 가리지 못하는지 궁금해졌지. 육아서적 몇 권만 들여다봐도 이에 대한 답이 나와 있어.

위에서 안내했던 책 중에 <김수연의 아기발달 백과> 245 쪽을 살펴보면 24 개월 정도부터 대소변을 가릴 수 있게 된다고 나와 있어. 그러면서 대소변 가리기는 아기의 질적운동성과 관련이 있다고 적어져 있는데 책 244 쪽에서는 질적운동성(Movement Quality)을 다음과 같이 정의하고 있지. “아기의 움직임이 얼마나 안정적인지, 순발력이 있는지, 속도를 보이는지 살펴보는 것”

이를 다시 해석해보면 결국 대소변을 잘 가리려면 항문의 근육과 소변을 참고 또 긴장을 풀며 소변을 배출할 때 쓰는 근육들이 아기 몸에 발달되어 있어야 한다는 것을 의미해.

공부하고 나니 신기했어. 나는 너무나 자연스럽게 쓰고 있던 내 배설기관들이 알고 보니 모두 근육으로 조정되고 있다니. 그렇다면 휘담이의 근육들이 그 기능을 잘 조절할 수 있을 때 완벽하게 기저귀를 뗄 수 있겠구나 생각했지.

#단계적으로_기저귀_떼기

그 후 난 휘담이의 근육들이 자리를 잡기 전까지 내가 도움이 될 수 있는 게 뭐가 있을까 생각했고 그때그때 생각나는 대로 담이에게 해주었던, 배변교육에 도움이 됐던 일들을 정리해서 아래 단계로 나누어 적어보았어.

1단계: 작은 아기 변기 사주고 가지고 놀게 하기(돌 이후)

쉽고 간단해. 그냥 아기 변기를 하나 사주고 이게 변기라며 보여주고 가끔 인형 가져다 응가 놀이해주면 끝이야. 내가 놀아준 것은 겨우 한 두 번인데 이 놀이를 기억해서 담이가 다음에는 스스로 인형놀이를 하더라고. 이 단계는 실제 사물을 보여주면서 이것이 변기고 변기는 소변과 대변을 보는 곳이라는 걸 인지하게 하지. 여기에서 더 발전해서 아기 변기에 앉혀서 몇 번 타이밍이 맞으면 소변을 보게 하기도 했어. 앉아서 소변을 보는 경험도 담이에게는 신선했을 거라고 생각해.

2단계: 팬티 체험하기(두 돌 무렵)

담이와 함께 팬티를 골랐어. 쇼핑 어플을 켜서 아기 팬티를 검색하고는 휘담이가 직접 원하는 팬티 디자인을 고르게 했어. 몰랐는데 정말 취향이 확고한 아기더라고. 팬티가 배송 오고 세탁 후에 한 번 입혀봤어. 처음 휘담이는 팬티를 입고서 한참을 놀더니 팬티에 소변을 봐 버렸지. 그때 휘담이한테 말해줬어.

"팬티를 입었을 때는 쉬를 싸면 안 되는 거야. 기저귀에는 쉬를 싸면 괜찮지만 팬티는 안 돼. 척척하고 찝찝하지? 팬티 입으면 꼭 변기에다가 싸자!"

기저귀와 팬티의 차이점을 직접 경험하게 한 거야. 그 뒤로도 몇 번 시간이 날 때면 팬티를 입히고 내가 타이밍을 봐서 아기 변기나 일반 변기에 아기 변기 커버를 씌우고 소변을 보게 하거나 대변을 보게 했지.

3 단계: 변기에 성공하는 경험 늘리기 (두 돌 이후)

휘담이가 소변이 마려울 때는 티가 잘 안 나는데 대변은 마려워하면 티가 많이 나는 편이었어. 나랑 항상 같은 공간에 있고 싶어하는 아기인데 대변만 마렵다고 하면 안방 베란다에 가서 창밖을 구경하는 척 하더라고. 뭐가 창피한지 그때 엄마가 들어가면 화를 냈어. 그 모습이 너무 귀엽고 웃기고. 그래서 휘담이랑 하루 종일 있을 수 있는 주말이나 하원 후에 휘담이가 대변보려고 하는 모습이 포착이 되면 담이를 데리고 화장실로 얼른 가서 대변을 보게 했지.

처음에는 싫어하던 휘담이도 한 번 성공하고 내가 크게 칭찬해주니 두 번, 세 번 째는 화장실로 가는 것을 거절하지 않았어. 그 경험이 점점 늘어나면서 26 개월 무렵에는 대변은 완전히 화장실에서 보게 되었지. 그 이후 어린이집에 협조를 요청하고 어린이집에서도 대변은 무조건 화장실에서 보게 되었어. 이때 소변은 화장실에 볼 때도 있고 기저귀에 볼 때도 있었는데, 어린이집에서는 아직 담이가 소변을 자주 보기 때문에 기저귀를 완전히 떼기에는 이르다고 하셨지.

*그런데 아기들마다 대변과 소변을 가리는 순서도 다르고 시기도 전부 다르다고 하더라고. 휘담이가 대변부터 가린다고 하니까 어린이집 선생님들이 일반적이지 않다고 말씀하셨어. 보통은 소변부터 가리는 아기들이 많은가 봐.

4 단계: 하루종일 팬티 입히기(밤에 소변을 한 번도 안 볼 때 시도, 28 개월 무렵)

휘담이는 소변을 자주 보는 편이었어. 24 개월이 지났어도 한 시간 전에 기저귀를 갈았는데 또 금방 기저귀에 소변을 보는 모습을 보였지. 밤 기저귀도 젖어 있지 않은 때가 없었어. 나는 그래서 방광의 크기가 아직 충분히 커지지 않았거나 요도의 근육이 아직 덜 성장했다고 생각했지. 그래 아직 기다려주자 하고 있던 어느 날. 휘담이가 자고 일어났는데 밤 기저귀가 뽀송뽀송한 거야. 밤잠을 10 시간 이상 자는 아기인데 밤 기저귀에 변화가 찾아온 것을 보고 느꼈지. '아! 휘담이 방광이 성장했구나!'

그래서 그때부터 기저귀를 제대로 떼야겠다고 생각했어. 주말 동안 휘담이에게 팬티를 입히고 하루 종일 소변이며 대변이며 전부 화장실에서 성공하게 했지. 주말의 경험에 자신감이 생긴 나는 다음 월요일, 어린이집에도 팬티를 입혀 보내고 선생님께 말씀드렸는데, 처음에는 선생님이 난색을 표했어. 이런저런 이유가 있겠지만 선생님들께서는 아직 마음이 준비가 안 되셨던 것 같아. 그래서 나는 선생님께 2 주 동안 더 집에서 연습을 시킨 후에 어린이집에서 실수하지 않게 하겠다고 말씀드렸어.

그 뒤 2주 동안은 어린이집에서는 기저귀를, 집에서는 팬티를 입혔는데 휘담이가 팬티를 입으면 절대 팬티에 소변을 보지 않는데 신기하게 기저귀만 입으면 기저귀에는 소변을 보더라고. 나는 그때 알았어. 엄휘담은 기저귀에 쉬를 하면 젖지 않는다는 것을 아주 잘 알고 있구나! 2 주 뒤 선생님께 다시 협조를 요청 드렸고 선생님들의 우려와 달리 휘담이는 단 하루만에 낮 기저귀를 무난하게 뗄 수 있었지.

지금 글을 쓰는 때가 그로부터 한 달 정도 지난 후야. 휘담이는 지금까지 팬티를 입고 잘 생활하고 있어. 물론 한 번씩 실수하는 날이 있지만 '그럴 수 있지.' 하면서 열심히 응원해.

기저귀 떼기, 참 별 일 아니야. 그런데 이 작은 일이 나한테는 왜 이렇게 큰 의미로 다가오는지. 휘담이가 점점 커 가는 모습이 새롭고 아쉽고 놀라워.

해주고 싶은 말이 있어.

#늦어도_괜찮아
기저귀 떼기는 아기가 준비되어야 할 수 있어. 아기마다 성장속도가 모두 다르고 특히 항문이나 요도의 근육, 방광의 크기는 눈에 쉽게 보여지는 부분이 아니지. 나처럼 돌이 지난 이후부터 가랑비에 옷 젖듯 차근차근 기저귀 뗄 준비를 해 나가 돼, 아기가 준비되지 않은 것 같으면 길게는 1-2 년 정도 잡고 천천히 기저귀를 떼도 좋아. (아기가 느리더라도 그 전에 양육자가 기저귀 떼기 시도를 조금씩 해주는 건 아기의 발달에 좋다고 생각.)
다음은 <김수연의 아기발달백과> 254 쪽에 대소변 가리기를 시도할 때 참고하면 좋을 만한 내용이 있어 가져왔어.

[대소변 가리기가 잘 안 되는 경우 연필 조작이나 발음이 잘 안 되는 등 작은 근육의 질적 운동성에 어려움이 있는지 살펴보자…… 또래아이들보다 발달이 늦더라도 늦될수록 그만큼 시간을 주어야 한다.]

나 고백하는데, 유치원 때까지 소변 실수 많이 했거든. 그래도 잘 컸어. 그리고 또 나 역시 내 아기 엄휘담도 언제나 실수할 수 있다는 생각으로 바라보려고. 이제 휘담이는 밤 기저귀 떼는 일이 남았어. 사실 지금 떼도 되는데 새벽에 깨서 빨래하는 일이 생길까봐 나를 위해서, 또 휘담이에게도 여유를 주기 위해서 36개월까지 시간을 두고 천천히 떼어보려고 해.

부록. 돌 전 육아용품 후기 /출산가방 싸기

물건을 알아보고 사는 것도 일이야. 특히나 마음에 여유가 없는 아기 돌 전 시기에 필요한 수많은 육아용품들을 밤마다 휴대폰으로 알아보고 구매하는 것도 피곤하더라고. 너의 피로도를 조금이나마 덜어주기 위해 준비했어.

#필수는_없다
나는 귀가 얇은 편이라 인스타나 유튜브에 자주 노출되는 육아용품들에 관심이 많았어. 그렇다고 보이는 걸 다 사서 쓴 건 아니지만 돌이켜보면 '꼭 필요 없었는데' 했던 물건들도 있었지. 산 물건들을 살펴보면 휘담이에게 좋은, 휘담이를 위한, 물건들 보다 내 육아를 위한, 내가 편하기 위한, 물건들이 대다수지. 그렇기에 육아 주체인 '내'가 괜찮다면 굳이 많은 육아용품을 사지 않아도 된다고 생각해. 그러니까 없으면 큰일 날 것 같은! 반드시! 꼭 필수! 인 물건들은 없다는 것이지. (대다수 육아용품들이 어른들이 쓰던 생활용품으로 대신할 수 있는 것들이고, 심지어 젖병이 없는 곳에서는 분유를 컵이나 숟가락으로 떠먹이기도 한다니까.)
이 이야기를 시작으로 꺼내는 이유는 요즘 광고들(육아용품 후기 포함)이 너무 자극적이라서, 없으면 꼭 육아를 잘 해낼 수 없을 것처럼, 또는 이 물건을 사지 않는 엄마는 나쁜 엄마인 것처럼 은근하게 표현하는 경향이 있기 때문이야. 그래서 흔들리지 말라고. 비싼 육아용품이 아니더라도 육아를 잘 할 수 있다는 것을 말하고 싶었어.

그렇다면 본격적으로 휘담이를 키우는데 사용했던 물건들과 짧게나마 썼던 후기를 소개할 게. 글을 쓰는 시점이 2023 년도라서 독자친구가 이 글을 읽는 시점에 따라 해당 물품들의 존재 여부가 달라질 수 있겠어.

참고로 나는 육아용품을 고를 때 구매 평이 대체로 좋고 구매한 사람들이 많은 제품을 중심으로 구매를 했어. 그렇지만 사람마다 보는 눈이 달라서 내가 소개하는 제품이 별로일 수도 있어. 당연하지. '내가 쓴 제품들이 최고야! 꼭 써!' 가 아니라, 혹시나 임신과 육아에 지쳐 물건 검색하기도 힘든데 그때마다 어떤 걸 사야 할지 모르겠을 때 가볍게 참고하면 좋겠어.

✓ 젖병 소독기(필립스 아벤트 젖병소독기)

열탕소독하는 형태와 적외선 소독 형태가 있어. 둘 다 장단이 있는데 나는 열탕소독기로 샀어. 적외선은 내가 안 써봐서 할 말이 없고, 열탕소독기는 '필립스 아벤트 젖병 소독기'로 뜨거운 수증기로 젖병을 소독하고 뜨거운 바람으로 건조시켜주는 형태로 운영되는데 나쁘지 않았어. 젖병 말고도 아기 치발기, 공갈젖꼭지 등 아기 입에 들어가는 것들은 모두 소독할 수 있어서 기기가 있으면 편해. 하루에 두 번 정도는 소독기로 아기가 입에 가져가는 것들을 소독했던 것 같아.

✓ 아기침대

임신했을 때 인스타 감성에 취해서 예쁜 아기 침대만 보였어. 스토케(Stokke) 아기 침대(왼쪽사진)가 예쁘기로 유명한데 새 제품을 사기에는 150 만원 돈이 너무 아까워서 당근마켓(중고제품)으로 이를 알아보았어. 장점은 침대가 높아 아기가 어릴 때 부모 침대에 붙여서 꽤나 안정적으로 아기를 재울 수 있고, 아기 사진을 찍을 때 아주 예쁜 배경이 되어준다는 점이었지. 아기가 클 때까지 스토케 아기 침대를 사용하는 사람들도 있다고 해. 그런데 휘담이는 커가면서 잘 때 아주 데굴데굴 굴러다니면서 자는 버릇이 있는 아기라서 나중에 침대는 처분하고 방까지 분리하는 분리수면을 하면서 아기 범퍼침대(오른쪽 사진)로 바꾸어 주었어.

다시 휘담이 신생아 때로 돌아간다면 스토케 아기침대와 범퍼침대는 구매하지 않고 바로 가드 있는 좋은 싱글 침대를 사줄 테야. (위 범퍼 침대는 찾아보니 절판되었어. 범퍼침대가 필요한 친구들은 이를 키워드로 검색해보면 다양한 제품들을 만나볼 수 있을 거야.)

아기 침대를 준비할 때 알아야 할 핵심은 사실 침대의 종류가 아니라, 부모의 잠자리를 아기와 공유하지 않아야 한다는 점이야. 아기와 어른의 잠자리는 의무적으로 분리해야 한다고 할 수 있어. 왜냐하면 부모랑 같이 자면 아기가 어른 몸에 깔릴 수도 있고 또 엄마 아빠의 뒤척임이 아기의 수면에 방해가 될 수 있거든. 그리고 아이가 크고 나서도 너무 엉겨 붙어서 자면 나중에 아기를 혼자 자게 하기가 더 힘들어. 부모가 항상 곁에 있는 것이 습관이 돼서 하루 많게는 18시간에서 적게는 15시간 자는 아기 옆에 아무것도 못하고 착 붙어있어야 하는 일이 생길 수도 있지. 한 방에서 같이 수면하더라도 반드시 침대는 분리! 꼭 기억해줘.

✓ 아기 이불

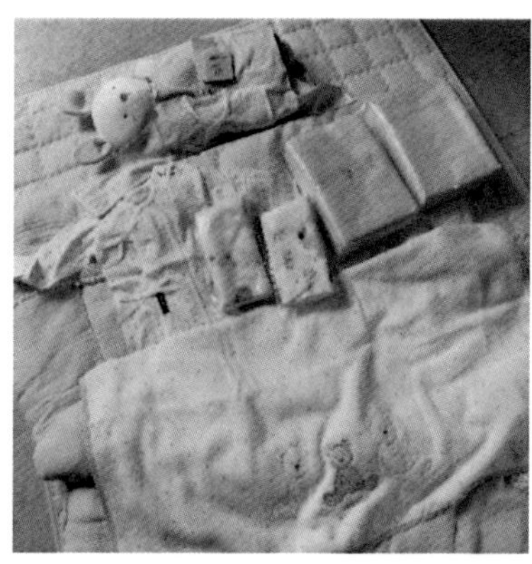

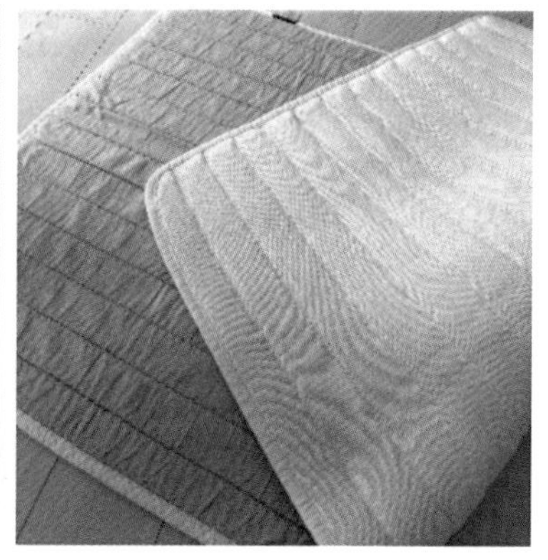

순면으로 된 이불 세트를 샀어. 아기가 어릴 때는 (심지어 휘담이가 30 개월이 되었어도) 이불을 잘 덮지 않아. 대신에 아이들은 땀이 많아서 위 오른쪽 사진처럼 통기가 되는 제품을 하나 깔아두면 아기 몸에 땀띠가 나는 것을 막는데 도움이 될 거야. 통기성 이

불로 '베베스미스' 제품 추천! 질도 가격도 만족해서 나는 3 개 정도 사서 돌려쓰고 있음!

✓ 홈카메라

아기가 잘 때 잠깐이라도 밖에 나가 볼 일을 보려면 홈카메라는 필수야. 미리 준비해서 기기도 설치해놓고 또 육아에 사람(산후도우미 등)을 쓸 예정이라면 거실과 아기가 있는 곳에는 꼭 설치해 두는 게 좋아. (물론 고용한 사람에게는 카메라가 있다고 꼭 말해 줘.) 나는 '헤이홈' 제품 중에서도 회전이 되지 않는 고정형의 제품을 여기 저기 설치해서 썼는데 나쁘지 않고 무난했어. 필요한 기능은 모두 있었지. 요즘에는 회전도 되는 제품으로 나왔다고 하더라고. 다른 브랜드에 좋은 제품도 많으니까 한 번 비교해보고 구매하기를.

✓ 아기 손수건, 천기저귀

손수건은 30 장 정도, 천기저귀는 10-20 장 정도 준비했는데 딱 좋았어. 출산 전 미리 세탁해 놓으면 좋아. 대나무 소재, 면 소재 등 이것저것 구매해봤지만 그냥 큰 차이 없었음. 천기저귀는 기저귀 용도로 쓰기보다는 아기 몸 닦아주는 수건이 되기도 하고 이불 위에 깔아 쓰기도 하고, 아기 배를 덮어주는 이불이 되기도 하고, 수유쿠션에도 올려서 썼어! 요건 아기 피부에 닿는 모든 것에 깔아 쓸 수 있어. 브랜드 보다는 소재가 중요해! 삶을 수 있는 면 소재 추천.

✓ 타이니모빌, 아기 체육관

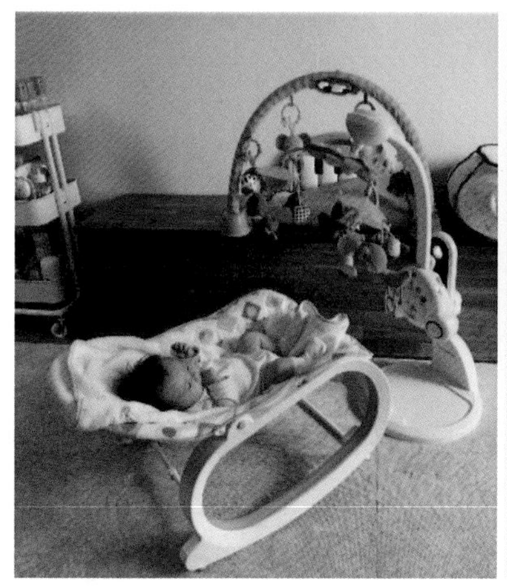

사용기간이 다소 짧기 때문에 새 상품 구매보다는 중고 상품 추천! 양육자에게 좋은 정말 꿀육아템인데, 타이니 모빌의 경우 신생아(생후 30 일) 시기가 지나고 휘담이가 시력이 살짝 생긴 후에는 갖고 있는 장난감 중에 가장 요긴하게 썼던 장난감이지. (아기들 처음에 태어나면 시력이 좋지 못해 색도 흑백만 구분하니까 이점 꼭 알아 둬!) 휘담이 혼자서 타이니 모빌만 보면서 20-30 분을 노는 데 나한테는 타이니 모빌이 정말 도움이 됐어. 하나는 선물 받고 하나는 중고로 준비해서 시댁에 가져다 놓고는 점심시간이나 화장실 가야 할 때 잘 이용했어.

아기체육관도 선물 받았는데, 이것도 중고 추천! 휘담이가 다리 근육이 발달할 때(3-4 개월) 아주 잘 가지고 놀더라고!

✓ 수유쿠션, 수유시트

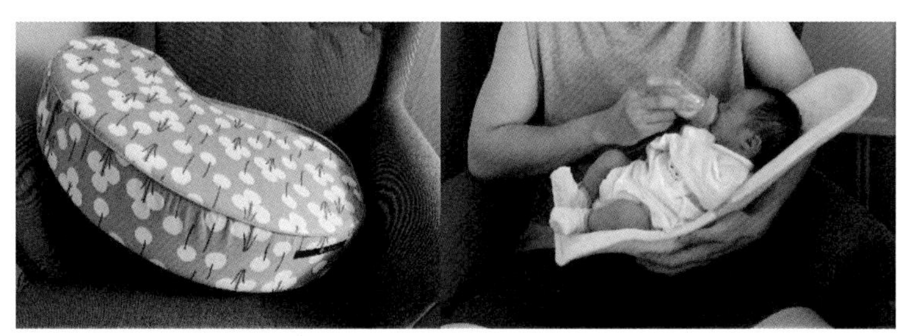

수유쿠션(왼쪽사진)은 모유 수유할 때 쓰는 것이고 수유시트(오른쪽 사진)는 분유 수유할 때 필요해, 손목과 허리 건강에 도움이 될 거야. 이것도 몇 개월 안 쓰니까 중고를 추천해. 중고로 살 예정이면 미리 사두고, 그냥 상관없이 나중에 새 물건을 살 거라면 모유수유를 할지 분유수유를 할 지 결정한 후에 사두는 게 좋아. 나는 참고로 둘 다 사놓고 수유 쿠션은 모유수유를 안 해서 며칠 만에 처분했고 수유시트는 아주 잘 썼어.

✓ 역류방지쿠션

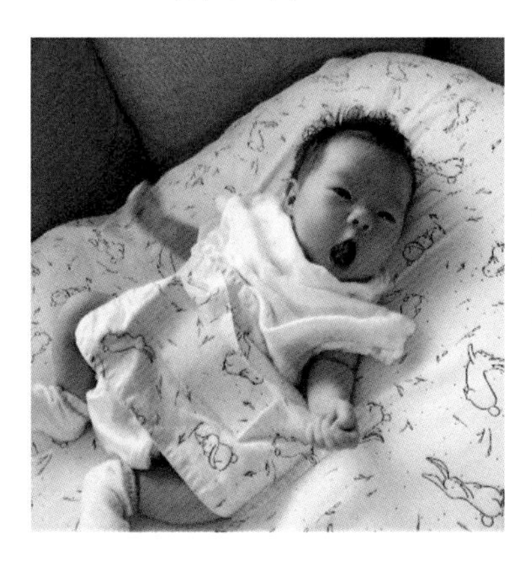

아기들 내장기관 중 식도랑 위 구조가 어른과 달라서 수유 직후 구토를 하기 쉬워. 수유하고 등을 토닥여 트림을 시켜도 눕혀 놓아도 쉽게 토할 수 있거든. 이 때 살짝 경사진 쿠션에 아기를 두면 소화도 잘 하고 쉽게 토하지 않아서 좋아. 아기 밥을 먹이고 한 시간 내내 안아주

는 일이 너무 버거울뿐더러, 잘 먹여 놨는데 다 토해버리면 너무 아깝잖아.

아기 낳기 전에 이것도 미리 세탁해둘 것. (주의! 역류방지쿠션에서 오랜 시간 재우는 건 아기 허리에 좋지 않아. 아무래도 경사진 쿠션에 오래 눕혀 놓으면 말랑말랑한 척추와 꼬리뼈에 무리가 될 수 있기 때문이겠지.) 휘담이는 '제이앤제나' 제품을 이용했어. 커버 2 개를 돌려가며 썼는데 휘담이가 가끔 토하거나 분유를 흘렸을 때 바로 다음 커버를 씌우고 쓰기 좋아서 커버가 여러 개 있는 것을 추천.

✓ 아기 옷 사이즈에 대해서

출산 전에 옷을 사놓고 싶다면 2-3 벌 가볍게 준비하면 좋고 아기 나온 후에 인터넷으로 아기 사이즈를 생각해서 더 사두는 방법이 좋아. 아기가 크게 태어날 지 작게 태어날지는 정말 나와 봐야 알 수 있어! 옷 살 때는 사이즈는 조금 크게 살 것! 우리나라 사이즈 기준 담이는 태어날 때 '70'이었는데 그 시기는 금방 지나가버려서 '80'으로 사 놓았던 옷을 두 돌 때까지 정말 잘 입혔어. 보통 돌 사이즈가 '80', 두 돌이 '90'으로 나와. 몇 가지 옷 말고는 아기 크기보다 살짝 더 큰 옷으로 준비하는 것을 추천!

✓ 아기양말

5-6 켤레(계절에 맞게 준비), 보통 옷을 사면 손수건이랑 양말을 같이 껴주는 경우가 많아. 나는 쿠팡(Coupang)에서 제일 작고 저렴한 양말 한 세트를 사서 발싸개 대신 돌려 신겼어.

✓ 손톱정리도구(트리머, 아기 손톱을 깎기)

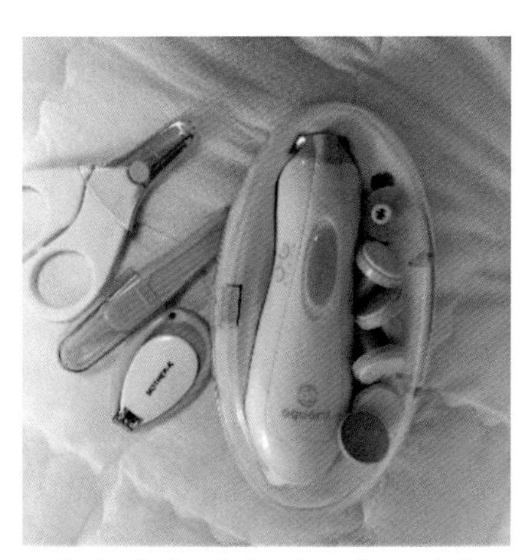

자동 트리머는 연한 아기 손톱을 가는 도구인데 돌 전까지는 아기 손톱깎이보다 트리머가 더 좋아. 담이는 이 글을 쓰는 지금 두 돌이 다 되어 가는데 어느 정도 손톱이 단단해서 처음에는 손톱깎이로 깎고 그 다음에 트리머로 다듬어 줘. 손톱깎이만 써서 깎으면 손톱이 뾰족해져서 얼굴에 상처가 나기 쉬워. 반드시 트리머로 부드럽게 정리해줘. 트리머는 '아가방' 제품을, 손톱은 '마더케이' 제품으로 쓰고 있어. +추가, 지금 30개월인데 아직까지도 트리머를 잘 이용하고 있음! 트리머 헤드 부분만 두 번 정도 교체해 줬고, 일주일에 한 번 정도 손톱 정리를 해주고 있음.

✓ 아기 기저귀 발진 연고

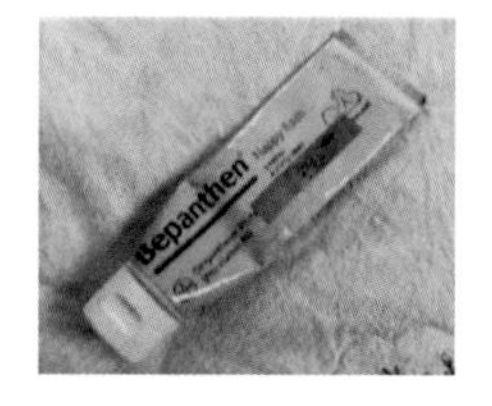

비판텐(연고용과 발진용 두 가지가 있는데 작은 용량으로 사두면 좋음, 생각보다 유통기한이 짧아서!)은 사두면 자주 쓰게 될 거야. 항생물질이 전혀 들어가지 않은 착한 연고야. 가벼운 화상이나 마찰, 상처, 기저귀 발진에 모두 효과가 좋고 건조한 피부에도 좋아서 여러 방면으로 자주 손에 갈 거야.

✓ 건티슈, 물티슈

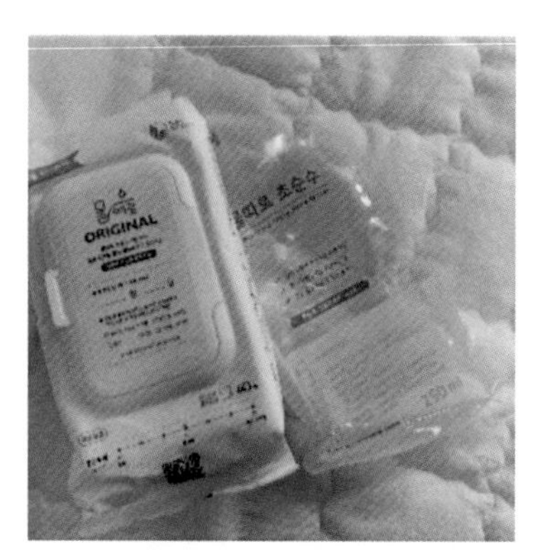

건티슈는 물을 묻혀서 사용하는 물티슈인데 민감한 아기 엉덩이에 좋고, 물티슈는 일단 사두면 어디에나 아주 유용하게 쓰게 될 거야. 담이는 어린이집 다니고 두 돌 됐을 무렵 갑자기 물티슈에 알레르기 반응이 있어서 선생님들께 양해를 구한 후에 건티슈를 보냈어. 건티슈는 바로바로 물을 묻혀서 사용하기 때문에 첨가물이 안 들어가지. 담이가 이용한 제품은 '물따로 건티슈'. 무난해서 아직까지 잘 쓰고 있음.

✓ 아기 욕조

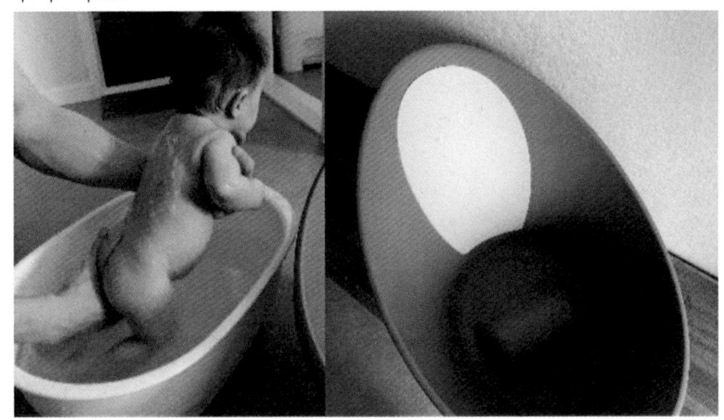

휘담이는 욕조를 쿠팡(Coupang)에서 아기 욕조라고 나온 제품(센스 2030 베이비 다용도 통, 왼쪽사진) 하나와 아기 욕조로 유명한 슈너글 제품(오른쪽 사진)을 이용했는데 기본적으로 아기 씻길 때, 특히나 신생아의 경우에 욕조가 두 개가 필요해. 하나는 몸을 씻기고 다른 하나는 마무리로 바로 몸을 헹궈주는 용으로 쓰게 될 거야.

✓ 바디워시/로션

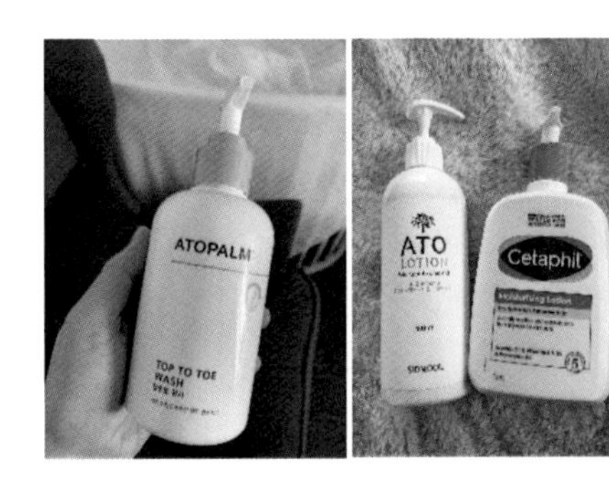

휘담이는 선물받은 '아토팜 탑투토 올인원 워시'를 썼는데 써보니 괜찮아서 30 개월인 지금도 잘 쓰고 있어. 아기로션은 '시드물 아토로션'을 신생아부터 쓰다가 겨울

이 돼서 담이에게 건조증이 생겨(25 개월 이후의 일) '세타필' 제품으로 바꿔서 자주 발라주고 있어.

✓ 아기 옷 세탁세제

너무 비싸지 않은 걸로 골라서 오래 쓰고 있어. 휘담이 신생아 때는 향이 좋다는 '블랑 101(왼쪽 사진)'제품을 썼는데 돌이 지난 후에는 쿠팡(coupang)에서 아기세제 검색해서 '퍼실 센서티브 젤 유아세제(오른쪽 사진)'를 썼어. 써봤는데 무난해서 1 년 넘게 잘 쓰고 있어.

✓ 일회용 기저귀

휘담이 기저귀는 '하기스'를 쓰다가 중간에 발진이 생겨서 '팸퍼스'로 바꿨어. 두 브랜드 모두 굉장히 유명하고 무난한 기저귀 브랜드인데 아기 체형과 체질에 따라 맞는 기저귀가 있는 것 같아. 마르고 활동량이 많은 휘담이에게는 '팸퍼스'가 잘 맞는 느낌. 기저귀는 브랜드가 워낙 많고 종류도

다양하니까 더 찾아보고 아기에게 딱 맞는 제품을 쓰는 것을 추천!

#출산_전_기저귀를_준비한다면

기저귀는 사이즈를 단계로 표시해. 단계가 작을수록 작은 아이용이야. 신생아용은 보통 1-2단계인데, 1단계는 보통 출산 직후 선물로 많이 받곤 하지. 또 아기 크기에 따라서 크게 태어난 아기는 1단계가 안 맞는 아기가 있을 수 있고 2단계는 보통 다 맞아서 둘 중 한 사이즈를 사야 한다면 2단계를 추천해. 하기스, 팸퍼스 외에도 여러 제품이 있는데 초반에 아기 엉덩이에 맞는 것(발진이 덜 나는 것)이 어떤 제품인지 알아봐야 하니 처음 살 때 한 번에 너무 많이 사지 말고.

✓ 카시트

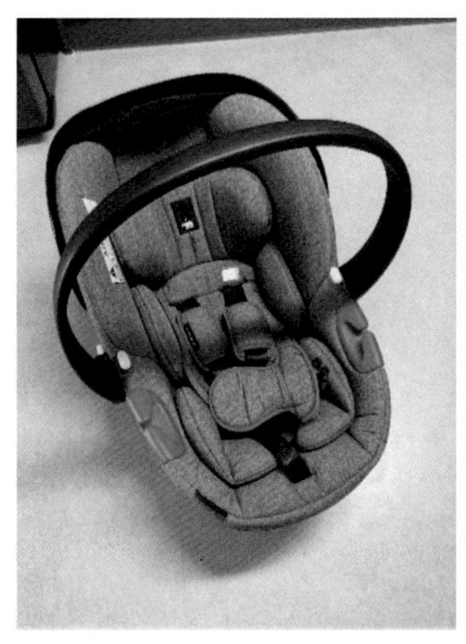

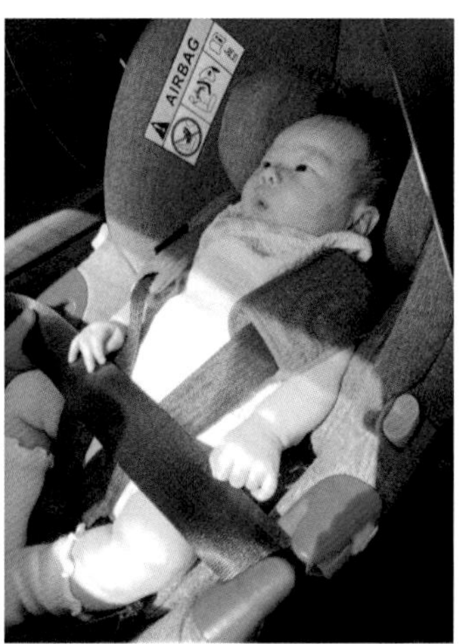

좋은 카시트로 하나 사면 신생아 때부터 쓸 수 있어. 바구니 카시트(왼쪽사진) 따로, 큰 카시트 따로 사지 말고 그냥 하나로 사서 쭉 쓰는 걸 추천해. 큰 카시트를 사도 신생아도 탈 수 있게 조정할 수 있거든! 혹시 구분해서 살 거면 바구니 카시트는 중고 추천! (보통 한 번 쓰고 말거든!) 휘담이는 조리원에서 집에 올 때 딱 1번 신생아 바구니 카시트를 썼고 그 이후에는 '순성 카시트' 제품으로 구매해서 썼는데, 아직까지 잘 쓰는 중이야.

✓ 아기띠

얇은 천으로 된 '코니 아기띠'랑 보다 두껍고 단단한 천으로 만들어진 일반 아기띠 두 가지를 모두 써 보았어. 코니아기띠는 포대기처럼 X자 천에 아기를 쏘옥 하고 넣어 엄마랑 딱 달라붙게 하는 아기띠고, 일반 아기띠는 두꺼운 천으로 만들어져서 아기에게 조금 더 탄탄한 아기띠야. 담이는 코니는 전부 중고로 구매했고(휘담이 태어난 2021 년도에는 코니가 사람 사이즈마다 다르게 만들어져서 남편 몸 사이즈에 맞는 것과 내 몸 사이즈에 맞는 것을 따로따로 사서 써야 했어, 지금은 한 가지로 사이즈를 조정할 수 있는 것 같아.) 일반 아기띠는 친한 언니가 쓰던 것을 물려받아서 야무지게 잘 사용했지. 코니는 신생아 시기부터 5 개월 정도까지 잘 썼고 일반 아기띠는 그 이후부터 두 돌전까지 썼

어. 내가 갖고 있던 일반 아기띠는 생각보다 아기 다리가 많이 벌어져서 월령이 낮을 때 사용하기에는 별로였어. 대신 그 이후에 담이가 조금 무거워지면서는 일반 아기띠가 더 안정감이 있었지. 걷기 시작하는 돌 무렵에 아기 띠 쓸 일이 없을 줄 알았는데 오히려 걷다가 안아달라고 하는 경우가 많고 유모차는 잘 앉아있지 않으려고 해서 전반적으로 나는 아기 띠 덕을 많이 본 것 같아.

물려받고 잘 썼던 일반 아기띠는 '에르고 베이비 아기띠'

✓ 손싸개

나는 휘담이 키우면서 손과 발을 싸줘 본 적이 없어. (발은 대신에 양말을 신겼음.) 특히 손싸개가 아기 발달에 좋지 않다고 해서 그냥 싸개를 이용하지는 않았고, 대신에 손톱 정리를 트리머로 자주 해주었어. 그래서 얼굴에 상처가 나지는 않았어. 보통 손싸개를 해주는 이유는 아기가 아직 손을 제대로 가누지 못해서야. 신생아 시기(생후 1 달)이 지나고 슬슬 손을 움직이는데, 그 전까지는 정말 자기 손이 아닌 것 같이 막 움직여, 그러니까 자기 손이 스스로에게 상처를 낼 수 있어서 손싸개를 해주게 되지.

✓ 유모차

#유모차의_종류

유모차는 휴대용, 디럭스, 그리고 그 둘의 중간인 절충형이 있어. 디럭스는 쉽게 말해 가장 크고 튼튼한 유모차야. 크기도 크고 무겁고 작게 접히지 않아서 웬만한 suv 차량 아니고서는 이동 시에 싣고 옮기는 것이 어렵지. 절충형은 휴대용보다는 견고하게 만들어져 안정적이지만 휴대용처럼 접히는 형태지. 휴대용은 제일 단순하게 생겼어. 간편하게 접히고 가볍고 비행기가 싣고 다닐 수 있어 보통 기내반입이 되는데, 다만 좀 불안정해서 목을 제대로 가누고 혼자 앉기 전인, 6개월 전에 아기를 태우기는 무리가 있어.

담이는 디럭스랑 휴대용 모두 써봤는데, 유모차는 굳이 디럭스 사지마. 우리나라에서 디럭스 형태는 불편한 것 같아. 디럭스를 쓰는 이유가 울퉁불퉁한 길에 아기를 데리고 다닐 때 필요해서인데, 길바닥이 전혀 정리되어 있지 않은 오지에서 아기를 온종일 데리고 다녀야 하는 양육자가 아니라면 그냥 절충형이나 아기 목을 가눌 수 있을 때쯤 휴대용 사서 데리고 다니면 좋아. 사실 신생아시기부터 6 개월 까지는 아기띠를 더 많이 사용하지 유모차는 잘 쓰지 않게 되더라. 유모차는 정말 너무 필요한 시기가 되었을 때 구매해도 늦지 않아.

휘담이는 디럭스 유모차는 당근마켓(중고)에서 10 만원에 주고 사서 (5 천 원어치도 안 쓴 것 같아.) 6 개월 정도 됐을 무렵에 휴대용 유모차를 사서 백화점이나 큰 대형 마트에 갈 때 잠깐 씩 태우고 다녔어. 그런데 아무래도 담이 돌전까지는 역시나 아기띠를 가장 많이 했고 지금(두 돌 이후)에 오히려 담이랑 외출할 일이 많아져서 유모차를 많이 쓰고 있어.

*담이가 산 휴대용 유모차 정보:

줄즈(Joolz) 제품이야. 가격은 사악한데 가볍고 해외 여행 갈

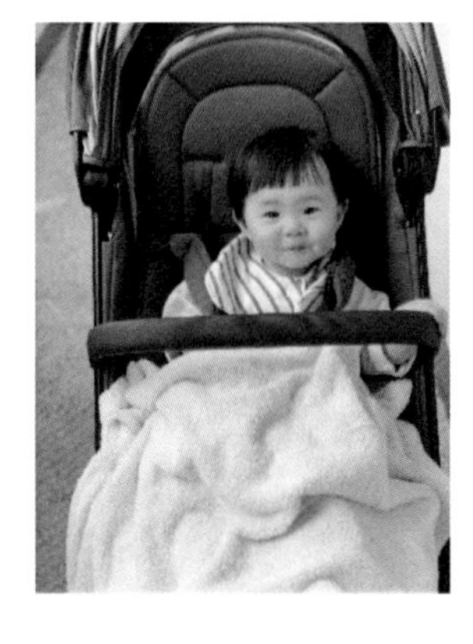

때 가지고 다니기 좋다고 해서 구매했는데 아직 해외에 가지고 나간 적은 없어. 다만 한 번에 잘 접어지고 굉장히 가볍고 디자인이 깔끔해서 산 걸 만족 중이지. 단, 가볍다는 게 단점이 되기도 해서 유모차에 담이를 태우지 않고 뒤에 가방을 걸면 유모차가 손잡이 쪽으로 넘어져서 신경써서 이용해야하지.

✓ 이유식의자

아기들 자세에 좋다는 동네 엄마들의 말에 약 50 만원이나 하는 스토케(stokke) 의자(왼쪽사진)를 질렀어. 결론적으로는 잘 쓰고 있는데 굳이 아기의자로 스토케가 필요한가? 되물어보면 아닌 것 같아. 어떤 의자든 아기가 앉을 수 있다면 모두 이유식 의자가 될 수 있어. 시댁에는 이케아(Ikea)에서 파는 3 만원 대 아기

이유식 의자(오른쪽 사진)를 가져다 놓고 쓰는데 이 역시 잘 쓰고 있어.

✓ 이유식제조기

'베이비 무브' 라고 선물 받아쓰고 있는 제품이 있는데 찜통과 믹서가 결합되어 죽 이유식을 만드는데 아주 효율적인 조리도구야. 타이머를 맞추고 찜통에 재료를 올리면 저절로 전원이 꺼지는 것이 기능 중 대부분인데도 자주 들여다보지 않아도 된다는 점이 바쁜 일상에 도움이 되곤 했어. 담이는 죽 이유식을 하지 않았지만 재료들을 살짝 쪄서 핑거 푸드를 만들어줄 때 자주 이용했고, 숟가락을 잘 이용한 뒤로부터는 지금까지도 가끔 소고기 죽을 만들어 주는데 그때 믹서까지 아주 잘 활용하고 있어. 딱히 생각해둔 조리도구가 없다면 이 제품은 추천!

✓ 분유포트

분유포트는 분유에 알맞은 온도로 물을 끓이고 식혀주는 제품이야. 나는 '보르르' 제품을 이용했어. 여기는 일단 CS 가 굉장히 친절해. 내가 업체에 연락해서 시댁에 놓고 쓰려고 아래 본체 말고 위에 유리포트만 구매하고 싶다고 하니까 그냥 하나 보내줬던 경험이 있어. 따로 판매는 안 한다고 하더라고. 담이 돌 지나고 분유포트도 처분했는데 친한 언니는 분유 시기 지나고 보리차 우려먹기에 참 좋다고 해! 그 생각을 나는 못했네?

이외에도 많은 육아용품들이 있지. 나쁘지 않았거나, 해줄 말이 있었던 제품들 위주로 적어보았는데 도움이 되기를.

다음은 출산 가방을 아직 싸지 않은 친구들을 위해서 참고하라고 적어보는 코너.

#출산가방_싸기

자연분만을 기준으로 적었어. 제왕절개를 할 친구들은 여기서 참고해서 가감해 준비해 가면 될 것 같아.

- 아기 기저귀(가볍게 한 팩(20 장 내외)

나는 하기스 사이트에서 체험팩을 신청해서 여러 종류로 한 박스 받아서 조리원 가서 잘 썼어! 글을 읽는 시점에 아직 체험팩 행사를 하는지 모르겠지만, 알아보는 거 추천! 물티슈까지 다양하게 옴!

내가 간 조리원에서는 기저귀를 저렴한 제품을 쓰더라고! 담이는 초반에 황달이 있어서 설사를 자주 했는데 조리원의 제품을 쓰니까 엉덩이 발진이 왔어. 그래서 신생아실 담당 선생님들께 말하고 담이 기저귀만 바꿔달라고 했어. 딱히 엉덩이 발진이 없더라도 챙겨간 좋은 기저귀 한 팩을 주면서 우리 아기는 이 기저귀를 써달라고 해도 좋아.

-비판텐

산모의 상처(특히 모유수유하며 생긴 상처들), 아기의 피부 발진에 아주 잘 쓰여. 큰 용량 말고 작은 용량을 약국에서 사서 쓰면 좋을 것 같아.

-모유저장 팩

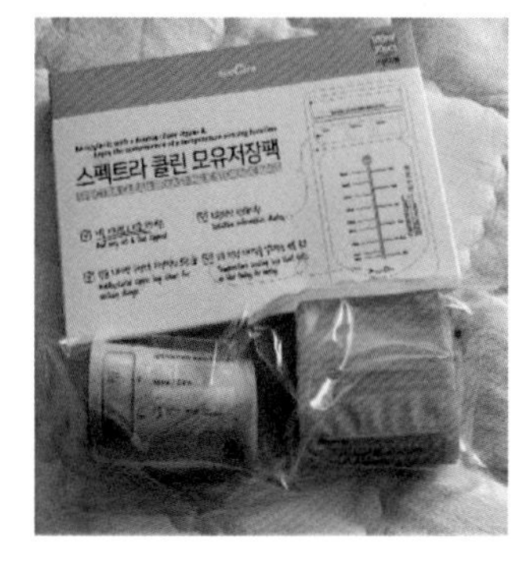

젖이 아기가 먹는 양보다 많이 나올 때 따로 유축기로 유축해서 이 멸균팩에 모유를 보관해. 보관한 모유는 냉동한 후 다시 해동해서 먹일 수 있어.

-분유

특히 신생아 황달(생후 3-4 일경 아기 피부가 노란색을 보이다가 일주일 정도 후 저절로 사라지는 증상)이 있는 아기들은 모유보다는 분유를 먹이는데(분유를 먹으면 더 빨리 가라앉음!) 조리원에서부터 먹일 분유를 미리 준비해가도 좋아. 쭉 모유수유 계획이 있는 아기들은 가져가지 않는 게 좋고, 혹시 분유 먹일 계획이 있으면 준비하면 좋겠지. 나는 따로 분유를 챙겨가지는 않았는데 미리 알았다면 챙겨갔을 것 같아. 담이가 황달이 있어서 모유보다 조리원에 있던 분유를 더 많이 먹었어!

-산모 패드와 큰 생리대(입는 오버나이트)

자연분만 후 출혈이 있어서 밑에 깔 게 필요해.

-수유패드

가슴에서 흘러나오는 모유가 옷을 젖지 않게 해주는 패드야. 화장 솜 크기의 패드에 생리대처럼 끈적끈적한 테이프가 붙어 있는 모양으로 생겨서 속옷에 붙여 쓰지.

-그 외

텀블러, 빨대(환경 보호 및 편리성을 위해), 물티슈(아기도 쓸 수 있는 좋은 제품으로), 실내화 양말, 여벌옷, 가디건, 레깅스, 개인 위생용품들, 초점책(아기들은 막 태어나고 시력이 완성되지 않아서 하나 가져가서 방에서 아기랑 둘이 있을 때 종종 노출시켜주면 좋더라. 안 보는 것 같으면서도 한 번씩 빤히 봐줄 때 뿌듯함.)

글을 마치며

육아하면서 고독하고 막막했던 순간들이 항상 있어. 그때마다 방법을 찾아다니며 해결했고 해결하는 데까지는 항상 노력이 크게 들었어. 지난 날을 돌아보며 힘들었던 때를 생각했을 때' 미래의 내가 과거의 나에게 다가가 알려줄 수 있었다면 고생을 덜 했겠네.' 생각이 들 때가 있잖아. 그 마음으로 글을 썼어.

너를 나라고 생각하면서 너는 힘들지 말라며, 조금 더 좋은 방향으로 또 편한 방향으로 육아를 하길 바라는 마음에서 글을 시작했지. 내가 육아 전문가가 아니라서 글에 나온 정보들이 부족한 부분이 있을 수도 있고 또 육아는 정해지지 않은 하나의 문화니까 내가 휘담이를 키웠던 이 방법이 언젠가는 잘못됐다고 일컬어지는 방법으로 남을 수도 있겠지.

그래도 용기를 냈어. 아기 낳고 살기 정말 힘든 이 시대에 내 아기가 가져다주는 행복을 큰 걱정없이 누릴 너를 그리면서 말이야.

글은 2023년 여름 어느 날 시작되어 시간이 날 때마다 아주 조금씩 또 천천히 써 내려갔고 2024년 겨울 완성되었어. 이 글을 빨리 너에게 보여주고 싶다. 사랑스러운 나의 여자친구들에게.

참고문헌

1. 김수연. 김수연의 아기발달백과. 지식너머(2019)
2. 정재호. 잘 자고 잘 먹는 아기의 시간표. 한빛라이프(2014)
3. 옥한나. 라임맘의 실패 없는 아이주도 이유식. 중앙 books(2019)

참고사진

1. 133p. 헤이홈 카메라 제품 이미지 사진
2. 140p. 블랑, 퍼실 세제 제품 이미지 사진
3. 140p. 하기스, 팸퍼스 기저귀 제품 이미지 사진
4. 145p. 이케아 이유식 의자 제품 이미지 사진

책표지 폰트 : KCC 간판체(한국저작권위원회)